*MELHORES POEMAS*

# Affonso Romano de Sant'Anna

*Direção*
EDLA VAN STEEN

*MELHORES POEMAS*

# Affonso Romano de Sant'Anna

Seleção e Prefácio
MIGUEL SANCHES NETO

São Paulo
2010

© Affonso Romano de Sant'Anna, 2003

5ª EDIÇÃO, GLOBAL EDITORA, SÃO PAULO 2010

*Diretor-Editorial*
JEFFERSON L. ALVES

*Gerente de Produção*
FLÁVIO SAMUEL

*Coordenadora-Editorial*
DIDA BESSANA

*Assistente-Editorial*
JOÃO REYNALDO DE PAIVA

*Revisão*
ANA CRISTINA TEIXEIRA

*Projeto de Capa*
VICTOR BURTON

*Editoração Eletrônica*
ANTONIO SILVIO LOPES

Dados Internacionais de Catalogação na Publicação (CIP)
(Câmara Brasileira do Livro, SP, Brasil)

Sant'Anna, Affonso Romano de
  Melhores poemas Affonso Romano de Sant'Anna /
Affonso Romano de Sant'Anna; Edla van Steen; Miguel
Sanches Neto (seleção e prefácio) – 5. ed. – São Paulo :
Global, 2010. (Coleção Melhores Poemas).

ISBN 978-85-260-1491-6

1. Poesia brasileira. I. Steen, Edla van. II. Sanches
Neto, Miguel. III. Título. IV. Série.

10-04288                                    CDD-869.91

Índices para catálogo sistemático:

1. Poesia : Literatura brasileira    869.91

*Direitos Reservados*

**GLOBAL EDITORA E
DISTRIBUIDORA LTDA.**

Rua Pirapitingui, 111 – Liberdade
CEP 01508-020 – São Paulo – SP
Tel.: (11) 3277-7999 – Fax: (11) 3277-8141
e-mail: global@globaleditora.com.br
www.globaleditora.com.br

Obra atualizada
conforme o
**Novo Acordo
Ortográfico da
Língua
Portuguesa**

Colabore com a produção científica e cultural.
Proibida a reprodução total ou parcial desta obra
sem a autorização dos editores.

Nº de Catálogo: **1798**

**Miguel Sanches Neto** é doutor em Letras pela Unicamp (1998), professor-associado da Universidade Estadual de Ponta Grossa (Paraná), onde leciona Literatura Brasileira. É autor, entre outros, dos romances *Chove sobre minha infância*, *Um amor anarquista*, *A primeira mulher* e *Chá das cinco com o vampiro* e das coletâneas de contos *Hóspede secreto* e *Primeiros contos* e dos volumes de crônicas *Herdando uma biblioteca* e *Impurezas amorosas*. Também escreve para crianças (*O rinoceronte ri*, *A cobra que não sabia cobrar*, *Amor de menino* e *A guerra do chiclete*). Cronista do jornal *Gazeta do Povo*, recebeu o Prêmio Cruz e Sousa (2002) e o Binacional das Artes e da Cultura Brasil-Argentina (2005). Mantém uma página no *twitter*: http://twitter.com/miguelsanchesnt.

# PREFÁCIO

Miguel Sanches Neto

## 1. A implosão das verdades

Legendária por sua proximidade com as vanguardas, cujo centro irradiador era e é São Paulo, Minas Gerais funcionou como espaço contíguo das mudanças estéticas. Isso que aconteceu na primeira hora de nosso Modernismo tornou-se uma constante – o estado se manteve e se mantém voltado para um discurso mais experimental, que parece ser uma de suas tendências dominantes, ao lado de seu oposto, o impulso memorialista. Nos anos 1950 e 1960, quando o campo literário entrava em ebulição com as ideias do Concretismo, responsável (para o bem e para o mal) por um terremoto nas letras nacionais, Belo Horizonte deu respostas rápidas, polarizando o debate poético, principalmente nas intervenções críticas e criativas do grupo aglutinado em torno de Affonso Ávila e da revista *Tendência*, aproximando-se dos três cavaleiros do apocalipse no momento em que a participação política virava a palavra da hora e os poetas paulistas remodelavam suas propostas. Os mineiros se fortaleceram com esta união, conseguindo produzir uma poesia diferenciada, em que pesquisa estética e ação social se completavam de forma mais autêntica.

É neste cenário que surge Affonso Romano de Sant'Anna, um dos organizadores da Semana Nacional de Poesia de Vanguarda da Universidade Federal de Minas Gerais (1963), encontro que nos remete à Semana de 22, deslocada agora para a universidade, o que é simbólico. Contrariando uma tradição em nossa literatura, Affonso estreia perto dos 30 anos com um livro extremamente maduro, *Canto e palavra* (1965), referencial na poesia brasileira daquele período pela qualidade de seus poemas e pelo bifurcamento de caminhos estampado no título. Os movimentos de vanguarda distinguem-se por uma viseira estético-ideológica, refutando qualquer problematização que questione suas propostas, mas o jovem que lança o primeiro livro escolhe o signo do duplo, fraturando o discurso de invenção já no início, quando havia afinidades com o grupo concretista.

Não se pode falar em uma vertente concreta em sua poesia, embora haja uma consciência objetual, própria da época, cuja matriz mais recente está no Concretismo. A melhor realização do jovem autor nesta linhagem é "A pesca", em que o mundo límpido se materializa em versos compostos por artigos definidos e substantivos, num desejo de dar concretude ao poema. Coisas e seres perdem quaisquer atributos acessórios para figurarem como síntese de um mundo em paz. O poema é uma encenação dupla da pescaria. Primeiro, ele se organiza na página numa verticalidade que pode ser vista como a da própria linha que desce na água. Paralelamente, o poema é uma sequência de instantâneos fotográficos, slides organizados de modo a fatiar mecanicamente os vários tempos da ação. A última estrofe reforça a ideia do mundo claro, preciso e limpo, sem a interferência poluidora do eu:

> *o peixe*
> *a areia*
> *o sol.*

Tal enumeração aponta para uma poética de síntese e de visualidade. A palavra, liberta da lógica discursiva, ganha o mesmo destaque do peixe deixado na área. Peixe é a palavra peixe, antecipando o "Soneto da rosa", do livro seguinte, em que a palavra rosa ocupa os 14 versos desta forma tradicional, parodiando Gertrude Stein – "Uma rosa é uma rosa é uma rosa é uma rosa" – mas agora já dentro de um horizonte crítico. Buscava-se anular o espaço entre coisa e palavra, diminuindo a função mediadora dos significados, a palavra-coisa funcionando como tradução imediata do mundo.

Vários poemas de Affonso vão investir na atomização do verso, afirmando a poesia como subversão da lógica do dicionário, em que a palavra, e não o seu significado, ganha o papel principal. Presente em toda a sua poesia, os trocadilhos surgem neste momento em que o vocábulo foi confundido com a medida poética.

O culto à materialidade do texto se desdobra em uma valorização do objeto. O eu aparece como corpo, que estaria no mesmo nível da geladeira, da mesa, do telefone. Aí entra o elemento perturbador nesta linhagem estética. Ao igualar homem e objeto, representados em uma perspectiva despersonalizada, a asséptica linguagem da vanguarda ignora os sentidos sociais.

No poema "O objeto corpo e outros exemplos", há uma viagem temática do corpo à casa, seus móveis e cômodos, acabando no banheiro, numa sonora (e irônica) descarga de privada em que o residual é banido em nome da linguagem sem mácula, solar e substantivada. O poeta sabe, contrariando as lições da cartilha do Concretismo, que ele se confunde com seu instrumento, num ato de duplo pertencimento: o homem pertencendo à palavra e esta ao homem. A equação, no entanto, não se limita a esta reversibilidade de dois termos. Há um outro, imponderável, pessoal e intransferível, que comanda tudo.

*Sou primeiro o canto*
*e o que cantou*
*e só depois – palavra*
*e o que falou.*

– afirma o poema que dá título ao livro. O poeta possui um duplo, seguindo, portanto, por dois caminhos. O que vem com ele, de regiões recônditas e descontroladas, e o que ele construiu. Para usar a terminologia de Mario de Andrade (*O empalhador de passarinho*, p. 9): um é o-que-eu-sou; o outro, o-que-eu-possuo-a velha oposição entre romantismo e parnasianismo, agora com outras roupagens. Affonso concede ao canto um poder de modificação. É uma força que empurra o ser para o imprevisível, enquanto a palavra permanece como construto, como sentido obtido tecnicamente:

*Se o canto é o eu fluindo,*
*a palavra é o eu pensado.*
*Na palavra eu sempre guio,*
*mas no canto eu sou guiado.*

Seu primeiro livro organiza-se a partir de uma tentativa de síntese de termos conflitantes, o instinto e a racionalidade, a bruma e a clareza. O canto é um *quando*, como está dito no poema, e a palavra um *onde*. Ou seja, um representa a temporalidade incontrolável; o outro, a espacialidade construída. Com esta posição ambivalente, Affonso estava comunicando que antes do *homem-texto* existe um *homem-canto*, e que a ultrapassagem definitiva do primeiro estágio gera identidades endurecidas e uma renúncia ao conflito que faz do poeta ser vivo. Quando o homem-texto se instala no lugar do homem-canto, vence a poética. Quando se chocam, nasce o fogo da poesia.

Assim, este livro empreende uma leitura anatômica do corpo, das coisas e da palavra, mas também libera a temporalidade fluída: no amor ("Poemas da amiga"), na história pessoal ("Poema-memória"), na lenda ("Mito") e no sentimento de irmandade com os contemporâneos. Embora haja uma divisão em três partes temáticas, estas forças estão em permanente confronto em um livro que faz a relativização das teorias da vanguarda ao abrir-se para desvios inesperados.

A atividade do poeta de vanguarda se sobrepõe à do professor que leciona poesia, e estas duas posturas passam a ser combatidas por Affonso Romano de Sant'Anna, que, em 1965, seguira para os Estados Unidos, dando início a uma carreira universitária.

Com vocação poética exercida paralelamente ao discurso universitário, Affonso vai encarnar, na obra seguinte, *Poesia sobre poesia* (1975), o poeta crítico, para quem a poesia existe mais como sentidos agregados ao poema. As epígrafes do livro introduzem novo dilema de duplicidade. Na de Walace Stevens, há um distanciamento entre a perspectiva do poeta e a dos críticos: "É estranho que tão poucos deles (os críticos) percebam que se faz poesia por necessidade, a maior parte parece supor que se escreve para imitar Mallarmé ou filiar-se a uma escola literária, a poesia não é uma atividade literária, e sim vital". Aqui, a postura de Stevens é uma farpa contra a voga concretista do poeta crítico, praticada em clave irônica por Affonso. A outra epígrafe é de Clarice Lispector e trata da impotência criativa gerada pela cultura do professor, um técnico paralisado por sua formação: "... o professor deveria produzir um romance! – Não poderia! saltou o professor, aí é que está! não poderia porque tenho todas as soluções! já sei como resolver tudo! não sei como sair deste impasse! para tudo, disse ele, abrindo os braços em perplexidade, para tudo eu sei uma resposta!"

Depois de mais de uma década se dedicando ao estudo e ao ensino universitário, ampliando o eu-possuo parnasiano-vanguardista, Affonso vivia um impasse entre a função humanizadora do poeta cantor e a cultural do poeta crítico. Ele já se afastou de nossas vanguardas, não é mais um poeta jovem de Belo Horizonte, perdeu/ganhou países, adquiriu experiência cosmopolita, viu a pátria de mirantes externos, aguçou sua competência teórica, e tudo isso teve um efeito antes inibitório do que criativo. A consciência do fazer poético torna-se problema a ser vencido, ou como ele sugere, na primeira nota de "O homem e a letra", demônio a ser exorcizado.

Este exorcismo é praticado pela ironia.

Em uma série de poemas, o poeta desempenha a função de máquina de citação, em versos minados de referências a fatos, obras e teorias, tudo elevado à potência máxima. Seguindo o modelo das teses universitárias, Affonso acrescenta ao poema uma imensidão de notas explicativas, criando um texto paródico. Os sentidos se agregam, se reproduzem e se sucedem, ganhando autonomia, pois contam uma história que é maior do que o poema. O poeta desconstrói o discurso do professor, devolvendo-lhe a identidade primeira, soterrada pela inflação da informação.

Este olhar de fora do poema, do ponto de vista analítico, faz parte da formação da voz própria de Affonso e tem uma equivalência no campo político. Em suas andanças pelo mundo, ele também adquire uma visão de outra pátria, intensificando sua preocupação social, mas sem cair na versão caricata dos poemas de cordéis produzidos por intelectuais e outros facilitarismos com função ideológica. O poeta que vê o sofrimento do mundo é o mesmo que se exercita na cultura universal. Assim, o lado professoral de sua poesia evita a queda no fanatismo social, determinando uma opção tanto pelo texto quanto pela vida.

Poema exemplar neste sentido é "Colocação de pronomes e bombas". O poeta, morando no exterior, dedica-se ao ensino da língua e literatura nacional, esmera-se no trabalho com a linguagem, lecionando seus mínimos dispositivos, enquanto os soldados espalham bombas. Os problemas literários se confundem com os problemas humanos, numa época de tantos conflitos. Fica subentendido que um interfere no outro, destacando o duplo interesse do poeta-professor, mas também certo sentimento de impotência, que talvez o afaste da própria obra.

Neste livro, Affonso não está mais priorizando as experimentações de linguagem, as inovações de discurso. É uma negação da poesia crítica e das soluções simplistas dos engajados. No longo subtítulo de "A educação do poeta", ele lembra, reforçando o dualismo, "que a poesia está na prosa e a prosa na poesia" e que "mais do que a invenção literária lhe interessa exorcizar fantasmas de ontem e de hoje". Frequentando textos experimentais, políticos e teóricos, Affonso, que os conheceu por dentro, faz a implosão destes discursos. *Poesia sobre poesia* tem esta significação na sua obra – é um momento de pôr abaixo algumas crenças. E, para isso, a condição de professor ajudou. "O poeta se confessa enfastiado de sua profissão" dá a tônica do estado de ânimo de quem trabalha no campo da análise, revelando um poder corrosivo, que possibilita o desmanche das várias utopias vividas pela geração do autor: "Por profissão destruo poemas meus e alheios [...]. Abri-los, desmontá-los, / aos inocentes olhos dos alunos". Esta "náusea crítica" é que vai levar o poeta a vencer o professor com as armas deste.

Affonso, neste livro, incorpora o que Walter Benjamin, em *Rua de mão única*, chamou de caráter destrutivo. Para o filósofo, era necessário destruir, pois esta postura "só conhece um lema: criar espaço" (p. 236). Ele opõe-se aos que lutam para proteger suas verdades, definindo-os como homem-estojo: "O homem-estojo busca sua comodidade, e sua caixa é a síntese desta" (p. 237). Os destrutivos são joviais e não se deixam possuir por aquilo que possuem: "Alguns transmitem coisas, tornando-as intocáveis e conservando-as; outros transmitem situações, tornado-as manejáveis, liquidando-as" (idem). É com este espírito que Affonso atua nesta obra, desobstruindo os caminhos da poesia. Depois desta travessia por tantos territórios alheios, depois de liquidar os discursos praticados nestes anos iniciais, ele elabora a própria voz, libertando-

-a num grande jorro, como veremos ao tratar do livro seguinte.

## 2. Fala ancestral

Poema mais extenso de toda a sua produção, com sopro épico, *A grande fala do índio guarani* (1978) é obra erguida no território do mito, das sombras e da explosão criativa. O poema nasce de uma pergunta: "Onde leria eu os poemas de meu tempo?" Este improvável lugar da leitura é o motor oculto do discurso. O poeta deve ler o tempo presente no grande palimpsesto da história do país, desde seus povos primitivos até a atualidade cosmopolita, em que o mundo estrangeiro não é negação do nacional, mas uma de suas inevitáveis camadas. Ler recuperando escritas raspadas, devolvendo-lhe o poder de interferir no destino dos homens presentes.

O poeta se afasta da claridade analítica, da ordenação textual acadêmica, para se aproximar de uma forma xamânica de expressão, em que os sentidos se fecundam entre si. Affonso deixa o país da linguagem adiada, em que "povo era a palavra / e o amanhã era a palavra / da palavra povo", para se reencontrar com a fertilidade dos mitos, numa viagem por temporalidades justapostas. Ele passa do índio ao civilizado, em metamorfoses macunaímicas, compondo um poema memorável pela recuperação do potencial simbólico do verso e da densidade histórica de uma pátria. Ele dirá, em frase magistral: "a história / é a fúria agora". E neste ritmo furioso que ele percorre horizontal e verticalmente nossa história, colocando-a de pernas para o ar, saltando séculos, indo e voltando, numa tecelagem de fios múltiplos e desencontrados.

Grandes nomes literários são incorporados não como sinônimo de uma cultura superior, numa nova antropofagia, mais visceral do que a inaugurada por Oswald de Andrade. Tudo vira mito, tudo vira nacional nesta fala, tudo vira sertanejo. Ideia que Guimarães Rosa praticou em seus livros e expôs em entrevista a Günter Lorenz, localizando o gênio como representante de um universo mítico: "Goethe nasceu no sertão, assim como Dostoiévski, Tolstoi, Flaubert, Balzac" (p. 85). E ao fazer esta mudança do poema-sala-de-aula, do poema-lição-de-estética para o poema-vida, Affonso reencontra-se com sua própria trajetória de menino pobre do interior de Minas, pois um país é antes de tudo o que fica inscrito em nossa memória: "Meu trajeto/ vem da caliça dos subúrbios / da terra varrida com mamoeiros tristes/ dos encardidos panos nos varais". Esta entrega à pátria herdada nas fronteiras do mito e da cultura devolve-nos ao poema-gente, nascido de uma circunstância biográfica. De todas as citações do livro, uma pode funcionar como central, a frase do romance *O amanuense Belmiro*, do mineiro Cyro dos Anjos, definido como pequeno/grande romancista: "a verdade está na Rua Erê". É uma verdade do aqui/ agora, sinal de legitimidade literária. Guimarães Rosa, na entrevista citada, não defendia outra coisa: "Literatura legítima deve ser vida. Não há nada mais terrível do que uma literatura de papel, pois acredito que a literatura só pode nascer da vida, que ela tem de ser a voz daquilo que eu chamo de 'compromisso do coração'" (p. 84).

16

*A grande fala do índio guarani* não é obra indianista, é um poema sobre o homem da América Latina, numa vitória do poeta possuído contra o que leciona:

> *Sou um cacique bororo, moreno e inútil*
> *coberto de tintas fortes e vergonha*
> *no meu triste quarup espantando de sua aldeia*
> *com a flauta*
> *a morte.*

Opera-se assim o processo inverso ao de Macunaíma, que vira civilizado num passe de mágica. Aqui o civilizado veste a pele do silvícola, como se fosse a Cobra Grande de Raul Bopp. Mas não há mais um travestimento carnavalesco, Affonso faz do poema uma sagração do homem latino-americano. Primitivo e civilizado confluindo para o caudaloso rio-poema, representado à maneira dos *calligrammes* de Apollinaire, no Poema 10. A escrita é enchente, rio que avança incorporando margens, levando o que encontra pela frente.

Devolvido a este outro espaço, o mítico, o poeta-índio bebe das fontes originais de sua pátria, experimentando-se numa personalidade tropicalista. Ele não está buscando um Paraíso perdido no tempo e no espaço, quer apenas o Grande Falar, a fertilidade poética, o dom imemorial da lenda. Esta viagem ao primitivo é travessia para um agora nunca antes tão político, para a leitura/escrita do poema de seu tempo.

Poema que virá na forma contundente de crônica indignada com as mazelas do Brasil em *Quem país é este?* (1980), coletânea de corajosos textos, alguns estampados em jornais durante o fim da ditadura. No livro anterior, Affonso experimenta na regressão mítica uma forma de acercar-se de seus contemporâneos, não apenas do ponto de vista temático, mas principalmente estilístico, num longo transe lírico.

Nesta nova obra, contra a ideia da poesia programada para o futuro (credo de todas as vanguardas), ele se depara com a doída espessura de nossas temporalidades: "Vivo no século vinte, sigo para o vinte e um / ainda preso ao dezenove / como um tonto guarani". O ponto de confluência destes tempos é o agora, que lhe dará os mais contundentes textos de sua obra neste livro antológico, quando a participação política deixa de se manifestar prioritariamente em análises irônicas e surge como palavra de ordem, como nos versos finais do poema-título: "o aumentativo de fome/ possa ser/ revolução". São os poemas de aprendizagem (da linguagem) do país, cívicos no sentido mais profundo do termo, textos de fundação, para usar a expressão de Octavio Paz.

Analisando o movimento de ida e volta dos intelectuais latino-americanos do século XIX, postos entre duas culturas, Octavio Paz observa que para inventar uma literatura nacional sempre foi preciso uma escala na Europa: "O caminho até Palenque ou até Buenos Aires passava quase sempre por Paris. A experiência destes poetas e escritores confirma que para voltar à casa é necessário primeiro arriscar-se a abandoná-la. Somente regressa o filho pródigo" (p. 19). O movimento empreendido por Affonso foi o mesmo: afastou-se da pátria pela afirmação de um discurso de vanguarda, depois em suas muitas estadas no exterior, vendo o mundo do alto do Empire State Building e de uma cultura acadêmica (*Poesia sobre poesia*). Nestas viagens, ele foi perdendo o país, como narra em "Crônica dos anos 60":

*Eu*
*ia e*
*vinha*

*entre um país e outro, entre*
*uma universidade e outra, entre*
*uma mulher e outra* (p. 252)

No mesmo poema-depoimento, revela-se o descompasso entre teoria e prática que esta movimentação foi criando: "Eu desaprendendo o país / e o ensinando lá fora". A correção de rota em sua produção, empreendida em *A grande fala do índio guarani*, mergulho na pátria profunda, continua em *Que país é este?* Estes livros e os poucos poemas de *Paixão e política* (1984) compõem o que poderíamos chamar de obras de fundação de sua palavra participativa, em que escrever não pode ser conjugado longe do verbo viver, dando origem a um neologismo caro a Affonso: escreviver. Em "A danação de agosto", há uma afirmação que sintetiza esta poesia produzida no calor dos acontecimentos: "O poeta ensandeceu, está febril,/ pegou o 'vírus das ruas'". Abandonando a frieza da forma, ele se entrega aos ritmos mais espontâneos, sem patrulhamentos estéticos, caminhando de mãos dadas com seus contemporâneos.

Nem todos os poemas são prioritariamente políticos em *Que país é este?*, alguns falam de situações cotidianas, familiares, mas mesmo este olhar para o imediato biográfico, tão próprio da crônica, é uma forma política de escrever poesia, pois revela a sintonia do poeta-gente com o mundo à sua volta.

Estes são os livros em que há uma maior proximidade entre poesia e política, para usar um de seus títulos, e, consequentemente, entre palavra e pátria. O pêndulo, no entanto, vai seguir para o outro polo, ao localizar a síntese do homem-país que é o poeta não só na nossa mítica ancestralidade indígena.

### 3. Fundo histórico

Sem alterar sua dicção, já consolidada como um verbo voltado para o mundo, que pode ser lido nos jornais, numa linguagem em estado democrático de fruição, Affonso Romano destaca um elemento que sempre esteve presente, contraponto necessário para a dicção política. Entra em cena aquilo que não dispomos, o grande monumento histórico, de onde também descendemos, na condição de extensão, mesmo que periférica, do Ocidente. Sua sexta coletânea, *A catedral de Colônia* (1985), não interrompe a produção de poemas nascidos dos fatos da vida nacional, o autor continua se sentindo um poeta-índio, mas mais irmanado com outros povos.

Ele amaciou seu confronto com o mundo na medida em que a vida brasileira melhorou com o fim da ditadura. Sentimos uma relação menos tensa com o real, em poemas que brincam, falam de fatos familiares e apostam em trocadilhos e em atividades lúdicas. Os objetos perderam sua face desumanizadora e voltaram positivados, principalmente quando ligados a uma afetividade que começa a se espraiar: "Os objetos entendem o homem quando há amor" (p. 68). O prazer vai se fortalecendo, mas o foco principal neste livro ainda é o homem periférico, observado em contraste com o mundo europeu, cujo símbolo é a Catedral de Colônia. O poema longo equivale a um modelo reduzido da catedral, um edifício feito com pedras e palavras. A catedral (cuja construção demorou seiscentos anos) é o monumento do velho mundo da cultura, que o autor povoa ainda na condição de índio, num misto de reverência e de irreverência diante da perenidade arquitetônica do único grande edifício público da cidade que sobreviveu à Segunda Guerra Mundial. Ao conviver com ela, o sem-História, ou com uma história mais natural do que humana, sente-se parte integrante de um todo. Ele traz sua infância de menino-povo e se experimenta ali como alteridade, promovendo uma ultrapassagem de certa tendência mais localista que as condições históricas do Brasil exigiam do poeta.

*... esta catedral sou eu*

*atroz-ateu*
*cristão-judeu*
*preto-plebeu*

*que esta catedral é o corpo vivo da História*
*e a história do próprio Eu.* (p. 99)

A estória pessoal se projeta na História, completando um ciclo que não cabe apenas na história do país do poeta. O eu quer projetar-se no imenso legado ocidental, símbolo do permanente, do que não pode ser destruído, componente necessário para uma pátria que se distingue pelo precário, tanto material quanto simbólico. Restabelecem-se os laços entre o provisório e o perene, o tropical e o europeu, neste longo canto de religação com um mundo de onde também descendemos.

Mas esta união é sagrada e profana, dentro das ambiguidades criadas pelo poeta, que vai introduzindo imaginariamente na catedral os habitantes da Juiz de Fora que ele conheceu na infância, acolhendo-os neste espaço histórico. Assim, ele promove a sobreposição de espaços e tempos, confundindo os planos:

> – *Que cena é essa beira Reno?*
> – *Onde estou, cristão covarde?*
> – *Em Minas? Em Colônia?*
> – *Ou na Santa Inquisição*
> *onde meu corpo infante arde?* (p. 122)

Num ato de subversão, todos os excluídos (artistas e gente do povo) invadem a catedral, numa projeção de eus periféricos na História. O poema acaba sendo a celebração deste espaço como "palco e praça" de uma multidão supranacional, convocada pelo poeta, que desfaz distâncias históricas e estabelece complementaridades, como nos versos finais em que vida e morte se misturam:

> *o nosso eterno retorno,*
> *o meu tardio começo*
> *a vida dentro da morte*
> *e a morte gerando a vida.* (p. 133)

O sagrado participa da festa carnavalesca que é a convocação destas pessoas de várias procedências, para celebrar a permanência, a inesgotável vida, transmitindo ao eu provisório uma sensação de infinitude.

Com este poema de louvor ao que fica, Affonso Romano de Sant'Anna sintetiza dialeticamente o duplo impulso do homem brasileiro, o do espírito e o da cultura, analisado por Joaquim Nabuco, que também viveu entre dois mundos. No seu livro de memórias, *Minha formação* (1900), ele deixa cifrada nossa natureza complexa: "Nós, brasileiros – o mesmo pode-se dizer dos outros povos americanos – pertencemos à América pelo sedimento novo, flutuante, de nosso espírito, e à Europa, por suas camadas estratificadas. Desde que temos a menor cultura, começa o predomínio destas sobre aquele. A nossa imaginação não pode deixar de ser europeia [...]" (p. 49). Isto gera instabilidade, pois nossa condição americana se aguça com o tempo, deflagrando uma dupla orfandade: "na América falta à paisagem, à vida, ao horizonte, à arquitetura, a tudo o que nos cerca, o fundo histórico; e que na Europa nos falta a pátria, isto é, a fôrma em que cada um de nós foi vazado ao nascer. De um lado do mar sente-se a ausência do mundo; de outro, a ausência do país" (idem).

Na celebração dionisíaca da catedral, ponto de encontro de biografia e cultura, Affonso diminui esta instabilidade, criando um espaço poético em que sentimento e história de fundem, suspendendo, mesmo que provisoriamente, este senso permanente de inadequação que o homem americano vai sofrendo cada vez mais, na proporção em que expande sua formação. Depois de ter feito o retorno do civilizado aos mitos indígenas, de ter erguido seu canto contra a ditadura, Affonso aprofunda sua sensibilidade universal, introduzindo o Brasil anônimo no universal. Estamos no início do processo de integração que distinguirá os anos 1990. E o poeta, à maneira de Nabuco, mas já sem sentir tanto os contrastes, poderá dizer: "Sou antes um espectador do meu século do que do meu país; a peça para mim é a civilização, e se está representando em todos os teatros da humanidade" (p. 44).

## 4. Pequenas epifanias

Nos anos 1990, Affonso passa a produzir uma poesia igualmente atual, mas sem extremismos. Ele adota a maciez de tema e de linguagem, abandonando a fúria criadora de seus poemas mais longos. É o mesmo poeta, agora pacificado com a duplicidade de sua natureza. Significativamente, o volume que sinaliza esta mudança chama-se *O livro das aprendizagens*, em que ele se encontra mais atento ao lar, às pequenas tarefas domésticas, ao mundo e seus conflitos permanentes, pronto para o que ele chama, em "Edital", de a "soma dos descaminhos":

> *Jovem, indignado,*
> *tentei com engenho & arte*
> *separar do trigo*
> *a outra parte.*
> *Já não consigo. Renegar o joio*
> *é ter o trigo empobrecido.* (p. 136)

Este é o tempo da queda do Muro de Berlim, da unificação do planeta, começada, como notou Nabuco, com o advento do telégrafo. Com esta mudança, o escritor transformou-se realmente em um observador participativo dos teatros da humanidade, podendo escrever sobre um fato doméstico, grandes artistas internacionais, o amor, a história do México ou qualquer outro assunto.

No terreno do estilo, os poemas ficaram mais naturais e mais curtos, sem perder a temperatura e a legitimidade. A ironia também adquiriu leveza maior, numa nova postura do poeta diante dos homens. Ele não quer modificar as coisas pela força do verbo, apenas se posiciona em relação ao real e à arte, cultivando suas verdades pessoais com o mesmo empenho e cuidado que dedica a seu jardim. É a chegada da madureza, trazendo maior humildade no tom de voz. No último poema do livro, "Carta aos mortos", ele lembra que "cada geração, insolente,/ continua a achar / que vive no ápice da história" (p. 231).

Idêntico caso de relativização e de estilo distingue os poemas de *Textamentos* (1999), em que o poeta prossegue suas aprendizagens, o que o leva a afirmar, em "Gargonza", que "poesia é o que nos espreita / pela fresta do dia", numa renúncia progressiva da grandiloquência, incompatível com o chão do cotidiano em que ele colhe as novas lições de arte. Isto está ligado à compreensão da passagem do tempo, em que não é mais o heroico que conta, mas o erótico, responsável pelas pequenas epifanias.

Nestes trabalhos de maturidade, Affonso Romano de Sant'Anna revela-se numa forma mais serena, aproximando-se de um lirismo ricamente encorpado com o material caudaloso dos dias vividos.

O trocadilho do título sugere que o seu legado será composto pelos textos, isto é, pela memória transcrita em um veículo que aspira à permanência, tal como fica dito em "O escriba Duker Dirite", figura

com a qual o poeta se identifica mediante a imemorial
e anônima arte da escrita:

*Nem sequer sei o que escrevia*
*mas seu gesto me é tão familiar*
*que por sua mão há 4.399 anos escrevo*
*um texto que não vai nunca terminar.*

Na atual coletânea, Affonso Romano se pensa na
confluência milenar de um ofício, o que faz com que,
ao falar de um amigo ("O pós-amigo"), ele se defina
como pré-antigo.
Dividido em duas partes, o volume guarda uma
coerência estrutural.
O primeiro conjunto pode ser lido como uma espécie de celebração biográfica da tarde: "A tarde tem
sortilégios. / Estou maduro para ela". Ele se entrega
a um contido pensar sobre a morte. Não há desespero
nem melancolia, porque o crepúsculo é ainda um momento de esplendor ("Velhice erótica"):

*Envelheço, sim. E*
*(ocultamente)*
*resplandeço.*

Dissecando o momento atual, repleto de mortes,
o poeta luta para fazer durar o passado, e assim man-
ter vivos aqueles que se foram. A maturidade, portanto, é um estado alcançado quando nos tornamos sen-
síveis às perdas e assumimos, diante delas, atitudes
restauradoras, cultivando um senso de responsabili-
dade para com os que ficaram para trás. O passado
incorpora-se à pátria presente e o eu passa a ser visto
como história viva: "No meu corpo está presente /
tudo que me trespassou", dirá o poeta.

A vida confunde-se com um ritual de sepultamento ("Todo dia há alguma coisa para enterrar"), mas também cabe ao poeta uma tarefa de conservação, que o leva a habitar perdidas camadas tempo. Se, nesta primeira parte, o convívio com a morte aparece como forma de salvamento dos que morreram, na segunda, o autor expande estas vivências alheias, produzindo uma poesia que se abre para locais, períodos e espaços distantes. Há uma passagem do eu para a civilização. Em "Intermezzo italiano", ele percorre uma geografia carregada de historicidade. Antes preponderava a sensibilidade pessoal, agora sobressai a cultura. Affonso Romano procura habitar, em outras latitudes, um tempo que está além do seu. Assim, a consciência da condição momentânea do eu gera um alargamento de perspectivas, que ainda lhe possibilita uma poesia cívica, mais de um civismo supranacional, cujo objeto é o homem no tempo.

Os temas revolucionários, outrora tão extensamente trabalhados, dão lugar a uma inversão, como em "Poema tirado do jornal", relato da última atividade de Che Guevara na Europa. O líder, visto mais pela legenda de ardoroso revolucionário, surge como homem sensível à cultura e à eternidade da arte, gastando largo tempo a apreciar a Capela Sixtina na véspera de partir para as selvas bolivianas, onde seria morto para virar mito. Affonso restaura a dimensão humana do guerrilheiro e autentica novos comportamentos, avessos a imagens mitificadas, concepção reforçada pelo último poema do livro, que trata da falência do absoluto e, ao mesmo tempo, da necessidade de persistir defendendo nossas pequenas e precárias verdades.

Entendida desta forma, a coletânea *Textamentos*, muito mais do que a coletânea em que o autor torna públicas algumas palavras íntimas (ensinamento do primeiro poema do livro), é um verdadeiro canto contra as visões ditatoriais de um presente concebido como linha reta rumo ao progresso. Seu alvo não é uma ideia de futuro e sim as experiências em que não se recusam os polos antagônicos:

> *Estou maduro, pois tenho essas coisas banais:*
> *o não e o sim,*
> *o claro e o escuro,*
> *a origem e o fim.*

Longe da intransigência, sua poesia busca o outro, incorporando termos paradoxais, sempre num estilo límpido e sem afetação, numa língua traduzível universalmente e, portanto, voltada para a compreensão – num gesto de respeito a seus semelhantes.

Em "Golpe literário", há o estabelecimento de um paralelo entre os valores poéticos do Concretismo (a nossa eterna vanguarda) e a ditadura militar típica dos trópicos. Contra esta centralização de poder, seja na figura de alguns poetas seja num conceito horizontal de tempo (sempre avante!), Affonso faz a apologia da temporalidade vertical e de um estilo cortado pelo figurino da compreensibilidade.

Nestes dois livros e nos poemas inéditos, houve uma maior erotização da linguagem sem ruídos, próxima de pessoas cuja vida e morte aparecem mais nítidas. O tom épico cede ao sorriso irônico, e a pátria é o tempo, podendo estar na Itália, no Rio ou mesmo no Irã.

## 5. Poeta da paixão

Desde o início, Affonso Romano de Sant'Anna foi o que Wilson Martins definiu como "poeta de nosso tempo" (p. 272), buscando dar uma espessura literária ao país e aos dias de tão conturbadas lutas, tanto estéticas quanto políticas. Sua natureza sempre em conflito levou-o à revisão permanente das posições, seguindo os compromisso do coração de que falava Guimarães Rosa. Por isso, ele se distingue como um poeta da paixão.

Pertencente a um tempo de grandes esperanças, a marca poética de Affonso Romano pode ser localizada na defesa do instante presente e da presentificação do passado. Seus poemas não apostam na utopia, que dá alento para o homem em troca da ilusão de uma recompensa que não virá. O que prevalece, portanto, é o sentido de realidade. O homem só conta com o presente, com a sua condição atual. Ser um partícipe deste tempo é, nesta ótica, sua missão humana. Daí os grandes poemas de Affonso Romano focarem experiências vividas pelo homem de hoje. Ele não posterga para dias melhores sua atividade, optando por exercê-la no difícil momento. Assim é o seu antológico "Que país e este?", peça de indignação contra a natureza explorada do país no interregno democrático dos anos 1960 e 1970. Ao acolher esta matéria espúria, o poeta está se solidarizando com uma latitude histórica e geográfica.

Se há este lado mais cívico de sua poesia, existe um outro, próprio de sentimentos pessoais, em que se destacam os poemas de amor. Falar do amor não é falar de uma ideia de amor, mas da mulher amada, em carne e osso, com todas as suas particularidades, algumas nada animadoras. O poeta, obcecado pelo real, usa óculos, não aceitando ilusões e, no rosto da amada que envelhece, ele também se vê. Mesmo tratando de tempos históricos e míticos, a sua é uma poética do agora. O amor não é idealizador, projetado em um tempo outro ou em um signo da perfeição feminina, mas conjugado na mulher presente, que pode ser a companheira ou outra na qual ele projeta seu permanente desejo.

Onde a união entre os poemas sociais e a lírica amorosa? Esta união pode ser encontrada na paixão. Quando fala no país miserável, nos grandes artistas, nos monumentos da História ou na mulher diante de seus olhos, o poeta está tomado de um mesmo entusiasmo pelo objeto presente. A paixão é este sentimento ardente que só pode ser experimentado num hoje vertical. A paixão não é nostalgia de alguém ou de algo que ficou retido no passado, nem uma esperança de fruição futura. Paixão é sentimento conjugado no aqui/agora. É de forma apaixonada que Affonso Romano escreve seus poemas cívicos, culturais, amorosos e cotidianos. A paixão, muito mais do que o amor, é luta desesperada contra a morte, contra o fim de tudo.

Esta condição de poeta da paixão pode ser vista ainda na própria maneira de conceber o estético. Affonso Romano de Sant'Anna não pratica o parto parnasiano da linguagem. Não investe no paciente trabalho de ourivesaria, antes é possuído pelas palavras. Seu verso brota, arde, medra. Trata-se de linguagem em estado de espontaneidade lírica, que não busca o acabamento, aceitando a imperfeição própria do humano, mas tudo isso com um vasto fundo cultural.

Através da utilização apaixonada da linguagem, ele se distingue em um horizonte de áridos racionalismos e hermetismos vagos. Para Affonso Romano, o que conta é o ser na sua versão imperfeita e terrena, encontrado no tempo real da existência. Ele escreve uma poesia na medida da paixão – morte e permanência do homem presente.

*Site*: www.miguelsanches.com.br

*POEMAS*

# CANTO E PALAVRA
## (1965)

# CANTO E PALAVRA

### 1

Todo homem é vário.
Vário e múltiplo. Eu sou
menos: sou um duplo
E me contento com o que sou.

Fosse meu nome *legião*,
meu destino talvez fosse
a fossa e o abismo onde
a vara de porcos se emborcou.

Não sou tantos, repito,
sou um duplo
e me contento com o que sou.

### 2

Sou primeiro o canto
e o que cantou
e só depois – palavra
e o que falou.
Meu corpo testifica este conflito
quando entre palavra e canto
não se perde ou se dissipa,
mas se afirma
e me redime.

O homem primeiro é o canto.
Só depois se organiza,
         se acrescenta,
         se articula,
se clareia de palavras
e dissipa o que são brumas.

Se o canto é o eu fluindo,
A palavra é o eu pensado.
Na palavra eu sempre guio,
mas no canto eu sou guiado.

O canto é o que atinjo
(ocultamente) sem me oferecer,
é quando, de repente,
eu me descubro
         – sem querer.

A palavra, ao contrário,
é o ato claro,
a talho e o atalho
         – no objeto,

embora seja como o corpo
um ser concreto
e como o mito
         – um ser incerto.

### 3

Quereis saber
como eu me faço
ou de mim como eu me quero?
é fácil:
       cultivo em mim os meus contrários
       e a síntese dos termos cultivo,
sabendo que o canto é *quando*
e a palavra é *onde*,
e que ela o ultrapassa
mais que o complementa.
E certo que o homem
embora sinta e pense,
       cante e fale
seus conflitos nunca vence,
é que eu tranquilo me exponho,
em fala me traduzo,
em canto me componho:
pois um homem somente se organiza
e completo se apresenta
quando com seus contrários se acrescenta.

### 4

Difícil é demarcar
o limite, o dia, o instante
em que o homem
de seu canto se destaca.
O limite, o dia, o instante
em que o homem se desfaz
da imponderável música-novelo-e-ovo
e configura-se no gesso,

e do que era um *homem-canto*
emerge *um homem-texto.*

Difícil é dizer como e onde,
não o porquê.
Um dia a gente se observa,
se admira,
mais que isto:
um dia o ser do homem todo o denuncia:
já não se flui
como fluía,
nem se esvai
como esvaía,
e do organismo informe e vago
emerge a vida organizada.

Nada se perdeu
nem jamais se perderia
neste homem que de novo se formou.
Algo duro nele se passa
e em seu trajeto se passou,
quando indo do canto à palavra
a si mesmo ultrapassou.

# O HOMEM E O OBJETO

### 1

Sou o guerreiro,
a palavra a seta,
o objeto a meta:

o guerreiro solta a seta
e no alvo se completa.

A palavra
é o corpo
onde vivo
em duplo aspecto.

A palavra
é o corpo
onde ostento
o que secreto.

A palavra
é o corpo
onde faço
o meu trajeto.

A palavra é como um mito
que se pode cultivar,

como a palavra também pode
num mito nos tranformar,
como o mito é uma palavra
em que se pode encalhar.

Sou o guerreiro,
a palavra a seta,
o objeto a meta:
o guerreiro solta a seta
e no alvo se completa.

2

O branco
sobre
o branco
é branco.

O nada
sobre
o nada
é nada.

Onde a palavra?
dispersa na boca?

– Ou ela está completa
ou então jamais está.

– Onde a palavra?
em repouso nos livros?

– Ou ela está na gente
ou a gente não está.

O branco
sobre
o branco
é branco.

O nada
sobre
o nada
é nada.

Se ela não está presente,
é que ausente ela está,
e quando algo se ausenta,
seu corpo se fragmenta
e se dissolve no ar.

Existe um percurso longo
que vai do homem ao objeto,
e o homem somente acerta
quando ele toma a palavra
e faz nela o seu trajeto.

# DEFINIÇÃO

1

Um corpo não é um fruto,
embora em tudo se assemelhem:
densa forma,
oculto gosto,
cinco letras
e um pressuposto
poder de vida.

Um corpo é mais que um fruto
que se plante,
que se colha
ou se degluta:

um corpo
é um corpo,
e um corpo
é luta.

Um corpo não é um potro,
embora assim se manifeste:
pelos mansos,
membros ágeis,
sal na boca
e um desejo
verde pelos campos.

Um corpo é mais que um potro
que pelos prados
e currais se dome:
um corpo
é um corpo,
e um corpo
é fome.

Nem chama
que se anule,
nem espada
em duplo gume
ou máquina
de estrume.

Um corpo
é mais que tudo:
mais que a chave,
mais que a forma,
mais que o leme,
mais que o açude.

Um corpo
é mais que tudo:
mais que a chave,
mais que a forma,
mais que o leme,
mais que o açude.

Um corpo
é mais que tudo:
é a própria imagem
que eu não pude.

## 2

O corpo é onde
 é carne:

O corpo é onde
 há carne
 e o sangue
 é alarme.

O corpo é onde
 é chama:

O corpo é onde
 há chama
 e a brasa
 inflama.

O corpo é onde
 é luta:

O corpo é onde
 há luta
 e o sangue
 exulta.

O corpo é onde
 é cal:

O corpo é onde
  há cal
  e a dor
  é sal.

  O corpo
  é *onde*
  e a vida
  é *quando*.

# A PESCA

O anil
o anzol
o azul

o silêncio
o tempo
o peixe

a agulha
   vertical
   mergulha

a água
a linha
a espuma

o tempo
o peixe
o silêncio

a garganta
a âncora
o peixe

a boca
o arranco
o rasgão

aberta a água
aberta a chaga
aberto o anzol

aquelíneo
ágil-claro
estabanado

o peixe
a areia
o sol.

# POEMAS PARA A AMIGA

"O amor com seus contrários se acrescenta"

CAMÕES

## 1

Tu sempre foste una
e sempre foste minha,
ainda quando a cor e a forma tua se fundiam
com outra forma e cor que tu não tinhas.

Por isto é que te falo de umas coisas
que não lembras
nem nunca lembrarias
de tais coisas entre mim e ti
ainda quando tu não me sabias
e dividida em outras te mostravas
e assim dispersa me ouvias.

Tu sempre foste uma
ainda quando o corpo teu
com outro corpo a sós se punha,
pois o que me tinhas a dar
a outro nunca o deste
e nunca o doarias.

Por isto é que eu te sinto
com tanta intimidade
e te possuo com tanta singeleza

desde quando recém-vinda
ostentavas nos teus olhos grande espanto
de quem não compreendia
a antiguidade desse amor que em mim fluía.

2

Eu sei quando te amo:
é quando com teu corpo eu me confundo,
não apenas nesta mistura de massa e forma,
mas quando na tua alma eu me introduzo
e sinto que meu sangue corre em ti,
e tudo que é teu corpo
não é que um corpo meu
que se alongou de mim.

Eu sei quando te amo:
é quando eu te apalpo e não te sinto,
e sinto que a mim mesmo então me abraço,
a mim,
que amo e sou um duplo,
eu mesmo
e o corpo teu pulsando em mim.

3

É tão natural
que eu te possua
e tão natural
que tu me tenhas,
que eu não me compreendo
um tempo houvesse

em que eu não te possuísse
ou possa haver um outro
em que eu não te tomaria.

Venhas como venhas,
é tão natural que a vida
em nossos corpos se conflua,
que eu já não me consinto
que de mim tu te abstenhas
ou que meu corpo te recuse
venhas quando venhas.

Quem jamais
ao amor se foi tão natural?
Quem jamais
do amor voltou tão natural?
Quem jamais
amou tão natural?

Já não há como
defender-se desse amor indefensável
ou como recusar-nos
esse amor irrecusável
que não traz outra opção,
que se afirma no teu corpo para ter-me
e necessita do meu corpo
para amar-te.

E de ser tão natural
que eu me extasie
ao contemplar-te,
e de ser tão natural
que eu te possua,

em mim já não há como extasiar-me
tanto a minha forma
se integrou na forma tua.

4

As vezes em que eu mais te amei
tu o não soubeste
e nunca o saberias.

Sozinho a sós contigo
em mim mesmo eu te criava,
e em mim te possuía.

De onde vinhas nessas horas
em que inteira eu te envolvia,
nem eu mesmo o sei
e nunca o saberias.

Contudo, em paz
eu recebia o teu carinho,
compungido o recebia,
tranquilo em meu silêncio
e tão tranquilo e tão sozinho
que calmamente eu consentia:
– que ainda que muito me tardasse
mais ainda, um outro tanto, eu sempre esperaria.

5

Tanto mais eu te comtemplo
tanto mais eu me absorvo
e me extasio.

Como te explicar
o que em teu corpo eu sinto,
o que em teus olhos vejo,
quando nua nos meus braços
nos meus olhos nua,
de novo eu te procuro
e no teu corpo vou-me achar?

Como te explicar
se em teu corpo eu me eternizo
e de onde e como
sendo eu pequeno e frágil
pelo amor me dualizo?

Tanto mais eu te possuo
tanto mais te tornas bela,
tanto mais me torno eu puro.

E à força de tanto contemplar-te
e de querer-te tanto,
já pressinto que em mim mesmo
eu não me tenho,
mas de meu ser, ora vazio,

pouco a pouco fui mudando
para o teu ser de graça cheio.

6

Estás partindo de mim
e eu pressinto que me partes,
e partindo, em ti me vais levando,
como eu que fico
e em mim vou te criando.

Tanto mais tu me despedes
e te alongas,
tanto mais em mim vou te buscando
e me alongando,
tanto mais em mim vou te compondo
e com a lembrança de teu ser
me conformando.

Estás partindo de mim
e eu pressinto:
na verdade, há muito que partias,
há muito que eu consinto
que tu partas como um mito.

Mas não és a única que partes
nem eu o único que fico:
sei que juntos e contrários
nos partimos:
– pois tanto mais nos desencontros nos revemos,
tanto mais nas despedidas consentimos.

7

Estranho e duro amor
é o nosso amor, amante-amiga,
que não se farta de partir-se
e não se cansa de querer-se.
Amor
todo feito de distâncias necessárias
que te trazem
e de partidas sucessivas
que me levam.

Que espécie de amor
é esse amor que nos doamos
sem pensar e sem querer com tanto amor
e tão profundo magoar?

Estranho e duro amor
que não se basta
e de outros amores se socorre
e se compensa
e neste alheio compensar-se
nunca se alimenta,
mas se avilta e se desgasta.

Estranho amor,
ferino amor,
instável amor

feito sem muita paz,
com certo desengano
e um desconsolo prolongado.

Feito de promessas sem futuro
e de um presente de saudades.
Chorar tão dúbio amor,
quem há-de?

Estranho amor
e duro amor,
incerto amor,

que não te deu o instante que esperavas
e a mim me sobejou do que faltava.

# 8

Contemplo agora
o leito que vazio
se contempla.
Contemplo agora
o leito que vazio
em mim se estende
e se me aproximo
existe qualquer coisa
trescalando aroma em mim.

Onde o teu corpo, amante-amiga,
onde o carinho
que compungido eu recebia
e aquela forma que tranquila
ainda ontem descobrias?

Agora eu te diria
o quanto te agradeço o corpo teu
se o me dás ou se o me tomas,
e o recolhendo em mim,
em mim me vais colhendo,
como eu que tomo em ti
o que de ti me vais doando.

Eu muito te agradeço este teu corpo
quando nos leitos o estendias e o me davas,
às vezes, temerosa,
e, ofegante, às vezes,
e te agradeço ainda aquele instante (o percebeste)
em que extasiado ao contemplá-lo

em mim me conturbei
– (o percebeste) me aguardaste
e nos olhos te guardei.

Eu muito te agradeço, amante-amiga,
este teu corpo que com fúria eu possuía,
corpo que eu mais amava
quanto mais o via,
pequeno e manso enigma
que eu decifrei como podia.

Agora eu te diria
o que não soubeste
e nunca o saberias:
o que naquele instante eu te ofertava
nunca a mim eu já doara
e nunca o doaria.

Nele eu fui pousar
quando cansado e dúbio,
dele eu fui tomar
quando ofegante e rubro,
dele e nele eu revivia
e foi por ele que eu senti
a solidão e o amor
que em mim havia.

Teu corpo quando amava
me excedia,
e me excedendo
com o amor foi me envolvendo,
e nesse amor absorvente
de tal forma absorvendo,

que agora que o não tenho
não sei como permaneço nesta ausência
em que tuas formas se envolveram,
tanto o amor
e a forma do teu corpo
no meu corpo se inscreveram.

# POEMA PARA GARRINCHA

> "Garrincha é como a aragem
> Garrincha é como o vento"
> *(de um locutor do jogo Brasil x Chile no*
> *campeonato mundial de 1962, no Chile)*

AVE! GARRINCHA
Ave humana
    lépida
    discreta
pés de brisa
corpo dúbio
finta certa.

Garrincha é como a aragem
Garrincha é como o vento
Garrincha é como a brisa

que ora avança
    na cancha
com graça
    e elegância
e rebate
    o arremesso
e remata
    no peito
e rechaça
    a ameaça

da caça
　　que o caça
e enfim a embaraça
no drible-trapaça
que a prostra no chão.

Pés de brisa
corpo dúbio
finta certa.

Garrincha é a ave
certa de seu voo
Garrincha é a seta
certa de seu alvo
Garrincha é o homem
certo de sua meta.

Tendo as pernas curvas
e uma candura esquiva
no seu silêncio puro
a sua alma asinha
sabe sofrer na neve
o frio da andorinha.

Garrincha
　　　　ave incontida
　　　　e mal retida
　　　　nas gaiolas
　　　　　　　　do gramado.

Com endiabrados
dribles e disparos
com diabices raras
sobre a cancha

avança
e dança
e pula
e adula
e açula
a alma do infeliz
que o perseguiu:
parou
pisou
passou
voltou
driblou
chutou
– gol do Brasil!

Pés de brisa
corpo dúbio
finta certa
Garrincha doravante
é ave nacional.

# POEMA PARA MARILYN MONROE

Nua e linda
   loira e linda
      linda e morta

   Marilyn
   Marilyn

   Marilyn
   Monroe.

Nua e linda
nasceu menina

nua e loira
fez-se folhinha

nua e linda
   loira e linda
morreu sozinha.

É noite e silêncio
nos pensionatos
enquanto dorme
      – Norma Jean.

É noite e silêncio
No quarto aceso
Enquanto morre
— Marilyn.

Do antigo
mito sensual:
ancas e seios
olhos e boca

resta um corpo
enorme e loiro
lindo e frio
na memória.

Ninguém sabe
ou saberia
se a mão crispada
no fone
seria adeus
ou retorno

Não mais
o amor sofrido
não mais
o ventre seco
de agonia
e solidão:

– vos deixo intacto
meu corpo inteiro
   e parto
loira e linda
  linda e nua
    nua e morta

Marilyn
Marilyn

Marilyn
Monroe

Marilyn
Marilyn

Marilyn
morreu.

# POESIA SOBRE POESIA
# (1975)

"É estranho que tão pouco deles (os críticos) percebam que se faz poesia por necessidade. A maior parte parece supor que se escreve para imitar Mallarmé ou filiar-se a uma escola literária. A poesia não é uma atividade literária, e sim vital."

WALLACE STEVENS

"... o professor devia escrever um romance!
– Não poderia! Saltou o professor, aí é que está! não poderia, exclamou penoso, não poderia porque tenho todas as soluções! já sei como sair desse impasse! para tudo, disse ele abrindo os braços em perplexidade, para tudo, eu sei uma resposta."

CLARICE LISPECTOR

# O HOMEM E A LETRA

Depois de Beranger ter visto seus vizinhos virarem
        [rinocerontes[2]
depois de Clov[3] contemplar a terra arrasada e comunicar-se
   em monossílabos com seus pais numa lixeira
depois de Gregory Sansa[4] ter acordado numa manhã
   transformado em desprezível inseto aos olhos da família
e Kafka não ter entrado no castelo[5] para ele aberto todavia
depois de Carlito a sós na ceia do ano cavando o inexistente
   afeto no ouro dos salões[6]
depois de Se Tsuam[7] perder-se não entre as três virtudes
   teologais
mas num maniqueísmo banal entre o bem e o mal
depois dos diálogos estáticos de Vladimir e Estragon
   na estrada de Godot[8]
depois de Alfred Prufrock[9] como um velho numa estação
   seca contemplando a devastação[10] e incapaz de
   perturbar o universo
depois dos labirintos de Teseu,[11] Borges[12] e Robbe-Grillet[13]
depois que o lobo humano[14] se refugiou transido na
        [estepe fria
depois da *recherche*[15] no tempo perdida e de Ulisses
   perdido no périplo de Dublin[16]
depois de Mallarmé se exasperar no jogo inútil de seus dados[17]
e Malevitch[18] descobrir que sobre o branco
   só resta o branco por pintar
depois dos falsos moedeiros[19] moendo a escrita exasperante
   em suas torres devorando[20] o que das mãos de Cronos[21]

gera e degenera
depois da morte do homem[22] e da morte da alma[23]
depois da morte de Deus[24] na Carolina do Norte
antes e depois do depois
aqui estou Eu confiante Eu pressupondo Eu erigindo
    Eu cavando Eu remordendo
Eu renitente Eu acorrentado Eu Prometeu Narciso Orfeu[25]
órfano Eu narciso maciço promitente Eu
desconsendo a treva barroca desse *Yo*[26]
sem pejo do passado
reinventando meu secreto
                concreto
                *Weltschmerz*[27]

Que ligação estranha então havia entre os nós e os
    nós de outros eus
entre Deus e Zeus[28]
que estranha insistência que penitência ardente que
    estúpido e tépido humanismo[29]
que fragilidade na memória que vocação de emblemas
    e carência em mitografar-se
que *projectum*[30] árduo e cego que radar tremendo
    pelas veias
que vocação de camuflar abismos e flutuar no vácuo
que reincidente recolocar do vazio no centro do vazio?

Que aconteça o humano com todos os seus *happenings*[31]
    e *dadas*[32]
que para total desespero de mim mesmo e de meus amigos
*I have a strong feeling that the sum of the parts does not
    equal the whole*[33]
e *que la connaissance du tout précède celle des parties*[34]

e com um irlandês[35] aprendo a dividir 22 por 7 e achar
    no resto ZERO
enquanto grito sobre as falésias
*when genuine passion moves you say what you*
*have to say and say it hot*[36]

Bêbado de merda e fel[37] egresso da Babel[38] e de onde os sofistas
    me lançaram
vate vastíssimo possesso[39] e cego guiado pelo que nele há
    de mais cego
tateando abismos em parábolas[40]
açodando a louca parelha[41] que avassala os céus
diante do todo-poderoso Nabucodonosor[42] eu hoje
    tive um sonho:
            000: INFERNO – recomeçar[43]
Salute o Satana,[44] *Finnegans reven again*[45]
agora sei que há a probabilidade[46] da prova e da idade
o descontínuo[47] do tímpano e o contínuo
que de Prometeu[48] se vai a Orfeu e de Ptolomeu se vai
    a Galileu[49]
Eurídice e Eu, Eu e Orfeu
o feitiço contra Zebedeu Belzebu[50] e os seus

Madness! Madness[51]
sim, loucura, mas não é a primeira vez que me expulsam
    da República[52]
loucura, sim, loucura, ora direis
enquanto retiro os jovens louros de anteontem

Que encham a casa de espelhos aliciando as terríveis
    maravilhas[53]
para que vejam quão desfigurado cursava[54] o filho do homem
    em seus desertos cheios de gafanhoto e mel silvestre[55]

que venha o longo verso do humano
o desletrado inconsciente[56]
fora os palimpsestos![57] *Mylord* é o jardineiro[58]
eis que o touro negro pula seus cercados e cai no povaréu[59]
*Ecce Homo*[60]
ego e louco
cego e pouco
ébrio e oco
cheio de *sound and fury*[61]
in-sano in-mundo[62]

*Madness! Madness! Madness!*
*Madness*
    *Summerhill*[63]
      *Weltschmerz*
– ET TOUT LE RESTE EST LITTÉRATURE[64]

# Notas

1. Primeiro de uma série de poemas onde o autor resolveu exorcizar os fantasmas literários de sua juventude, na busca de um caminho mais pessoal.

2. Em *Os rinocerontes,* Ionesco mostra os indivíduos massificados convertidos em rinocerontes invadindo a cidade. Com essa parábola toca o absurdo metafísico do mundo moderno, fala sobre a massificação e a individualidade ameaçada.

3. Clov, personagem de *Fim de jogo* (Samuel Beckett). Na mesma linha do absurdo lá estão o cego-paralítico e o empregado companheiro diante da destruição total, enquanto o casal de velhos sobrevive numa lixeira.

4. *A metamorfose* (Franz Kafka): aí o personagem central se converte em algo parecido a uma barata que toda a família abomina.

5. *O castelo* (Franz Kafka): ali as portas que estavam abertas para o personagem que morre impotente e ignorante sem poder penetrá-las.

6. Vários filmes de Chaplin: *Em busca do ouro*, por exemplo, onde o descorçado e lírico personagem segue para explorar o ouro no Alasca.

7. *A alma boa de Se Tsuam*, de Bertolt Brecht.

8. *Esperando Godot* (Samuel Beckett), em que dois personagens (Vladimir e Estragon) ficam eternamente na espera de um indefinível Godot, que muitos entendem como sendo Deus, a Esperança, a Fé, a Paz ou, então, o próprio absurdo em que se circunscreve a vida.

9. T. S. Eliot em *Prufrock and other observations* (1971), personagem que pertence à mesma estirpe dos anteriores.

10. "I'm not an old man in a dry month" e "Do I dare to disturb the Universe?" – versos de T. S. Eliot, que cito e re/cito.

11. Teseu – personagem da mitologia grega com uma história incrível da qual aproveito apenas a parte de sua entrada no labirinto para matar o minotauro.

12. Jorge Luis Borges, que em vários escritos retoma a temática dos labirintos (cidades, bibliotecas, ruas, caminhos) onde os personagens se procuram, se perdem e se acham perdidos.

13. Robbe-Grillet no "nouveau roman" francês, década de 1950, utiliza-se também da temática dos labirintos. Em Borges como em Grillet a própria linguagem se constitui em labirinto onde leitor/autor e texto se procuram.

14. *O lobo da estepe* (Herman Hesse): romance e autor que influenciaram inúmeros escritores desde o princípio do século. Retrata-se aí, entre outras coisas, a solidão e a indecisão do homem diante da sociedade materialista.

15. *A la recherche du temps perdu* (Marcel Proust): o homem se perdendo e se reachando no tempo e no espaço, ativando a memória voluntariamente.

16. *Ulisses* (James Joyce): onde no espaço de um dia os personagens de Dublin fazem o périplo antiépico, num outro tipo de labirinto, posto que este texto de Joyce é dos mais opacos e impenetráveis (ao leigo).

17. *Un coup de dés*, poema de Mallarmé que pode ser compreendido de várias maneiras. Aqui o interpreto como um fracasso da linguagem colocada no desespero de seus limites.

18. Malevitch que chegou à pureza e à síntese pintando um quadro aparentemente absurdo: "Branco sobre nranco".

19. *Os falsos moedeiros* (André Gide). Ver também: *O diário dos falsos moedeiros*. No primeiro romance Gide conta, entre outras coisas, a história do indivíduo que estava escrevendo um romance chamado *Os falsos moedeiros*. Técnica hoje chamada de metalinguagem. No outro livro ele conta como estava contando a história que o personagem contava etc.

20. Torres – aqui no sentido tanto de "torre de marfim", isolamento esteticista dos artistas, quanto referência ao Condo Ugolino que na *Divina comédia* devora seus filhos retardando a morte enquanto prisioneiro na torre.

21. Cronos – divindade grega, Saturno dos romanos, que devorava seus filhos temendo que viessem futuramente destroná-lo. Referência à literatura autofágica em que incorro e incorrem os formalistas.

22. Uma das afirmações mais famosas dos estruturalistas é de que o homem (no seu sentido humanista e clássico) morreu.

23. Anteriormente o existencialismo tratara do problema do absurdo da vida e liquidava com a alma substituindo-a pela consciência.

24. Em meio à década de 1960 nos Estados Unidos surgiu uma seita protestante que antiteticamente partia da concepção de que Deus morreu. Embora não houvesse nenhuma intenção, pode se aí associar o pensamento de Nietzsche, que passou por este lugar-comum.

25. Prometeu/Narciso/Orfeu – personagens mitológicos que a Psicanálise e a Filosofia de Herbert Marcuse e Norman Brown restauraram depois de Freud. Símbolos da força vital.

26. Referências ao "yo" barroco e espanhol de que falam os ensaístas; símbolo do irracional, mítico, místico, lembrando as aulas de José Carlos Lisboa.

27. Termo alemão para expressar o sentido romântico e ultrarromântico da existência. Tédio, cansaço, *spleen*, *mal du siècle*, enfim, tudo que revele frouxidão e liberação do eu reprimido estética e existencialmente.

28. Zeus – Júpiter dos latinos, Osíris dos egípcios e Amon dos africanos: o deus pagão.

29. O "humanismo" questionado por todos aqueles escritores do príncipio do século e pelos atuais, círculo vicioso a que volto – voltamos todos.

30. Termo ligado à filosofia de Heidegger e Sartre: *projectum* (projeto). Um lançar-se continuamente à frente de si mesmo.

31. Os *happenings* da década de 1960, importantíssimos nos Estados Unidos e na Europa, eram o elogio grandiloquente do absurdo e do nada através de espetáculos públicos urbanos aparentemente despidos de sentido.

32. Ver relação entre o *happening* e certos comportamentos dadaístas (1916). Um é a atualização do outro.

33. Frase de Jean Dubuffet que colhi de "Anticultural Positions", apêndice no livro de Wylie Sypher – *Loss of the self in modern literature and art*, obra que me ajudou a perfilar o pensamento corredio desse poema.

34. Frase que agora não sei de onde tirei, mas que como a anterior está presa aos problemas psicológicos típicos da Gestalt Theorie.

35. Esse irlandês é Samuel Beckett.

36. Citação de D. H. Lawrence numa briga com Joyce, fazendo apologia de tudo aquilo que destaco aqui: narcisismo, orfismo, intuição etc.

37. Referência a Cristo crucificado e recebendo nos lábios o fel que a soldadesca lhe dava.

38. Babel – torre construída miticamente na gênese dos tempos. Ver Bíblia – Gênesis, cap. 11. Referência à babel literária-estética--existencial em que vivemos.

39. Conforme Huizinga em *Homo Ludens*: "a verdadeira designação do poeta arcaico é *Vates*, o prossesso, inspirado por Deus, em transe. Estas qualificações implicam ao mesmo tempo que ele possui um conhecimento extraordinário".

40. Associação com o quadro de Brueghel em que retrata uma fileira de cegos caindo num buraco, conforme texto bíblico: "Se um cego guiar outro cego, ambos cairão no abismo".

41. Mito platônico da alma conduzida por uma parelha significando o bem e o mal, a força antitética da vida. Aqui a aceitação das antíteses e contradições.

42. Rei descrito várias vezes no livro de Daniel e que tinha sonhos terríveis, que só o profeta decifrava.

43. Sonho estranho que tive em Iowa: uma espécie de caixa registradora ou "slot machine" corria vários símbolos e parava nisto: "000-INFERNO".

44. Expressão tirada de Carducci num de seus poemas de louvor a Satanás; tema que seria vulgarizado até pela poesia simbolista brasileira.

45. James Joyce: *Finnegans Wake*. Coisas do acaso: no texto original do poema escrevi "reven" conforme as linhas iniciais daquele monstruoso livro, mas o revisor mudou para "never". Os sentidos se contradizem e não sei com qual ficar.

46. Decorrência de umas leituras sobre a "lei da probabilidade" e o "princípio da complementariedade" da Física moderna.

47. Relação entre aquelas anotações da Física, mais o universo descontínuo de Einstein e a arte descontínua deste século ilustrada nos autores citados inicialmente.

48. Prometeu, na interpretação de Marcuse e Norman Brown, símbolo do homem moderno, racional, em oposição a Orfeu.

49. Galileu – síntese do racional e do irracional com o episódio do "eppur si muove" que todos conhecem.

50. Continuação de figuras míticas bíblicas e papãs. Belzebu – um dos nomes de Satanás.

51. Texto talvez tirado de uma versão inglesa de *A república* de Platão. O poeta/possesso expulso da comunidade dos sãos e sensatos.

52. Platão expulsou o poeta da República porque ele não poderia produzir bens úteis. Se quisesse retornar teria que compor poemas de ouvor aos mitos nacionais. Na "república das letras" certos poetas/ estetas querem que os demais andem conforme um único figurino.

53. Associação com *Alice no país das maravilhas* e *Alice no país dos espelhos*. Espelho: o narcisismo reachado, sem o que não há progresso na evolução do indivíduo e do poeta.

54. Cansaço após tantos cursos, discursos no interior e no exterior.
55. São João Batista alimentando-se de gafanhotos e mel silvestre enquanto refugiado no deserto. Retiro-me do deserto alheio.
56. Mil teorias sobre o inconsciente e a Literatura, principalmente a partir da revisão proposta por Jacques Lacan em seus *Écrits*.
57. Como D. H. Lawrence na briga contra Joyce a quem acusava de reprimir suas emoções e castrar o fluxo erótico-vital.
58. O furor erótico de *O amante de Lady Chatterley* que generosamente dava em seiva amorosa o que Narciso e Orfeu impelem a dar.
59. Lembrança de uma foto sobre touradas espanholas em que um imenso touro pula o cercado e voa sobre o público.
60. Nietzsche, com livro do mesmo nome. Nietzsche – figura importante nisto tudo, que me devolve a Dubuffet: "I must declare I have a great interest for madness; and I am conviced art has much to do with madness." Também a frase dita a Cristo, outro louco: "Ecce Homo".
61. "Sound and fury", expressão tirada de Shakespeare, que Faulkner aproveitou como título de uma de suas obras.
62. In-mundo – expressão que pode ser localizada no pensamento existencialista: o estar no mundo, conspurcação necessária do sujeito com os objetos.
63. *Summerhill*, livro de A. S. Neill contando suas experiências pedagógicas numa escola inglesa onde as crianças vivem na maior liberdade todos os seus instintos e desejos.
64. Verlaine em sua *Arte poética*: "De la musique avant toute chose/ et tout le rest est littérature". Intenção de liberar a criação fora dos códigos poéticos estabelecidos. Repulsa à literatura definida como coisa morta ligada à letra artificial e não à experiência vital.

# SOU UM DOS 999.999 POETAS DO PAÍS

## 1

## INTRODUÇÃO SOCIOINDIVIDUAL DO TEMA

Sou um dos 999.999 poetas do país
que escrevem
enquanto caminhões descem pesados de cereais
e celulose
ministros acertam o frete dos pinheiros
carreados em navios alimentados com o óleo
que o mais pobre pagará.

(– Estes são dados sociais
de que não quero falar, embora
tenha aprendido em manuais
que o escritor deve tomar o seu lugar na História
e o seu cotidiano alterar.)

Sou um dos 999.999 poetas do país
com mãe de olhos verdes e pai amulatado
ela – a força de áries na azáfama da casa
a decisão do imigrante que veio se plantar
ele – capitão de milícias tocando flauta em meio às balas
lendo salmos em Esperanto sobre a mesa
[domingueira.

(– Estes são sinais particulares
que não quero remarcar, embora
tenha aprendido em manuais
que o que distingue a escrita do homem
são seus traços pessoais que ninguém pode imitar.)

2

## DESENVOLVIMENTO HÁBIL E CONTÁBIL
## DO (P)R(O)BL(EMA)

Sendo um dos 999.999 poetas do país
desses sou um dos 888.888
que tiveram Mario, Bandeira, Drummond, Murilo,
         [Cecília, Jorge e Vinícius como mestres
e pelas noites interioranas abriam suas obras
lendo e reescrevendo os versos deles nos meus versos
com deslumbrada afeição.

Desses sou um dos 777.777 poetas
que se ampliaram ao descobrir Neruda, Pessoa, Petrarca,
         [Eliot, Rilke, Whitman, Ronsard e Villon
em tradução ou não
e sem qualquer orientação iam curtindo
um bando de poetas menores/piores
que para mim foram maiores
pois me alimentavam com a in-possível poesia
e a derramada emoção.

Desses sou um dos 666.666 poetas
que fundando revistinhas e grupelhos aspiravam
                    [(miudamente)
à glória erótica & literária

e misturando madrugadas, festas, citações, sonhos de
[escritor maldito e o mito das gerações
depois da espreita aos suplementos
batem à porta do poeta nacional para entregar
poemas
(com a alma na mão)
esperando louvor e afeição.

Desses sou um dos 555.555
que um dia foram o melhor poeta de sua cidade
o melhor poeta de seu estado
dos melhores poetas jovens do país
e quando já se iam laureando aqui e ali em plena arcádia
surpreenderam-se nauseados
e cobrindo-se de cinza retiraram-se para o deserto
a refazer a letra do silêncio
e o som da solidão.

Desses sou um dos 444.444 poetas
que depois da torrente de versos adolescentes e noturnos
se estuporaram per/vertidos nas vanguardas
e por mais de 20 anos não falamos de outra coisa
senão da morte do verso e da palavra e da vida do sinal
acreditando que a poesia tendia para o visual
e que no séc. XXI etc. e etc. e tal.

Desses sou um dos 333.333 poetas
que depois de tanto rigor, ardor, odor, horror
partiram para a impureza (consciente) das formas
podendo ou não rimar em *ar* e *ão*
procurando o avesso do aprendido
o contrário do ensinado
interessado não apenas em calar, mas em falar

não apenas em pensar, mas em sentir
não apenas em ver, mas contemplar
fugindo do falso novo como o diabo da cruz
porque nada há de mais pobre que o novo ovo de ouro
gerado por falsas galinhas de prata.

Desses sou um dos 222.222 poetas
que penosamente descobriram que uma coisa
é fazer um verso, um poema ou mais
e receber os elogios médio-medianos dos amigos
e outra, bem outra, é ser poeta
e construir o projeto de uma obra
em que a vida & texto se articulem
  letra & sangue se misturem
  espaço & tempo se revelem
e que nesta matéria revém o dito bíblico
– muitos os chamados, poucos os escolhidos.

Desses sou um dos 111.111 professores
universitários ou não
que antes de tudo eram poetas-patetas-estetas-profetas
e que depois de ver e viver da obra alheia
estupefactos
descobrem que só poderiam/deveriam
sobreviver
com a própria
   que escondem e renegam
por pudor
  recalque
   e medo.

Sou um dos 999 poetas do país
que
sub/traídos dos 999.999
serão sempre 999 (anônimos) poetas
expulsos sistematicamente da República por Platão
que um dia pensaram em mudar a História com dois
[versos pena & espada
(o que deu certo ao tempo de Camões)
e que escrevendo páginas e páginas não mudaram nada
senão de tinta e de endereço.
Mas foi dessa inspeção ao nada que aprenderam
que na poesia o nada se perde
o nada se cria
e o nada se transforma.

3

CONCLUSÃO JOCO SÉRIA AO MODO
DOS POETAS MODERNISTAS

Sou um dos 999.999...

Novecentos  e
noventa      e
nove        mil
novecentos  e
noventa      e
nove
        poetas
            – devo dizer,
isto em contar os violeiros, os sambistas
e os escriturários que se sentam em largas mesas
e protocolam o tédio do país.

# TEORREIAS

§. Don Miguel de Saavedra y Cervantes, talvez porque perdesse muito tempo prisioneiro no Norte da África até que a rainha o resgatasse por 500 moedas de prata, não pôde estudar estilística com Dámaso Alonso e Helmut Hatzfeld, mas já temia que Borges e Pierre Menard lhe escrevessem o *Don Quijote*.

§. Scheherazade, sem que o Rei notasse e acoimada pela irmã, pulou as páginas das *1001 Noites* escritas por Tzvetan Todorov sabendo que naquele exato momento ele estava reescrevendo *O decamerão*.

§. Rabelais ainda não pôde ler Starobinski, Skolovsky e os pesquisadores da École de Hautes Études, mas soube de Balzac que ele deixou de lado *A comédia humana*, tão interessado anda no S/Z de Barthes e nos cursos de semiologia da Sorbonne.

§. O cacique Bororo com *O cru e o cozido* debaixo dos braços bateu à porta da Alliance Française pedindo que M. Lévi-Strauss lhe ensinasse finalmente a língua de Montaigne.

§. Joyce certamente escreveu o *Finnegans Wake*, viveu em Trieste e sabia mil línguas, mas morreu, e isto é grave, sem ter lido o Plano-Piloto da Poesia Concreta.

§. Cristo, por exemplo, não foi à missa no último domingo.

§. O passado é que precisa de profetas.
O futuro a Deus pertence

# FOUR LETTERS WORDS
### (em inglês muitos palavrões se escrevem com 4 letras)

VIET
TIME

VIET
LIFE

VIET
RACE

VIET
RICE

VIET
HILL

VIET
HELL

VIET
MINH

VIET
BOMB

VIET
SOUL

VIET
CONG

O POETA REALIZA A TEORIA E A PRÁTICA DO
SONETO, CONVENCENDO-SE DE QUE NÃO
HÁ FORMAS ESGOTADAS, MAS PESSOAS
ESGOTADAS DIANTE DE CERTAS FORMAS

## SONETO COM FORMA

forma forma forma forma forma forma forma
forma forma forma forma forma forma forma
forma forma forma forma forma forma forma
forma forma forma forma forma forma forma

forma forma forma forma forma forma forma
forma forma forma forma forma forma forma
forma forma forma forma forma forma forma
forma forma forma forma forma forma forma

forma forma forma forma forma forma forma
forma forma forma forma forma forma forma
forma forma forma forma forma forma forma

forma forma forma forma forma forma forma
forma forma forma forma forma forma forma
forma forma forma forma forma forma forma

# SONETO COM FUNDO

fundo fundo fundo fundo fundo fundo fundo
fundo fundo fundo fundo fundo fundo fundo
fundo fundo fundo fundo fundo fundo fundo
fundo fundo fundo fundo fundo fundo fundo

fundo fundo fundo fundo fundo fundo fundo
fundo fundo fundo fundo fundo fundo fundo
fundo fundo fundo fundo fundo fundo fundo
fundo fundo fundo fundo fundo fundo fundo

fundo fundo fundo fundo fundo fundo fundo
fundo fundo fundo fundo fundo fundo fundo
fundo fundo fundo fundo fundo fundo fundo

fundo fundo fundo fundo fundo fundo fundo
fundo fundo fundo fundo fundo fundo fundo
fundo fundo fundo fundo fundo fundo fundo

# SONETO COM FORMA E FUNDO

forma fundo forma fundo forma fundo forma
fundo forma fundo forma fundo forma fundo
forma fundo forma fundo forma fundo forma
fundo forma fundo forma fundo forma fundo

forma fundo forma fundo forma fundo forma
fundo forma fundo forma fundo forma fundo
forma fundo forma fundo forma fundo forma
fundo forma fundo forma fundo forma fundo

forma fundo forma fundo forma fundo forma
fundo forma fundo forma fundo forma fundo
forma fundo forma fundo forma fundo forma

forma fundo forma fundo forma fundo forma
fundo forma fundo forma fundo forma fundo
forma fundo forma fundo forma fundo forma

# SONETO DA ROSA

rosa rosa rosa rosa rosa rosa rosa rosa
rosa rosa rosa rosa rosa rosa rosa rosa
rosa rosa rosa rosa rosa rosa rosa rosa
rosa rosa rosa rosa rosa rosa rosa rosa

rosa rosa rosa rosa rosa rosa rosa rosa
rosa rosa rosa rosa rosa rosa rosa rosa
rosa rosa rosa rosa rosa rosa rosa rosa
rosa rosa rosa rosa rosa rosa rosa rosa

rosa rosa rosa rosa rosa rosa rosa rosa
rosa rosa rosa rosa rosa rosa rosa rosa
rosa rosa rosa rosa rosa rosa rosa rosa

rosa rosa rosa rosa rosa rosa rosa rosa
rosa rosa rosa rosa rosa rosa rosa rosa
rosa rosa rosa rosa rosa rosa rosa rosa

DEPOIS DE TER EXPERIMENTADO
TODAS AS FORMAS POÉTICAS,
TER-SE ALISTADO NAS VANGUADAS
E DELAS SE DESVIADO (TATICA-
MENTE), O POETA RECAI FELIZ NO
SONETO, FAZENDO NÃO APENAS
AQUELES SONETOS CONCRETOS,
MAS UM POEMA ONDE REPENSA
DIVERSOS PROBLEMAS AO NÍVEL
DO CONTEÚDO NUM TEXTO
ESCRITO NUM JORRO SÓ.

A vida por outros já descrita e os sentimentos
antes únicos, agora tornados comuns, de todo mundo,
recaio no soneto, forma de silêncio, onde o dizer
é não dizer, que não dizer é o que (dizer) venho.

Forma melhor de escrever é ler e ler nos outros
o que pensamos ser só nosso e é de tantos, há tanto,
que nada de novo existe, *topos* com que topo eu,
lugar-comum de tantos tipos comuns que me
[reescreveram.

Aceitar o não dizer, dizer-nenhum, abrir mão da fala
e do falo, para que o amor flua e nunca falho se retenha
numa só parte do corpo avesso a se entregar.

O silêncio da fala do verso, o silêncio difícil da forma
alcançada como quem se deposita vivo numa linguagem
maior que nos transcende e nos engana enquanto fala.

# POEMA CONCEITUAL: TEORIA E PRÁTICA

CESSÃO
SESSÃO
SECÇÃO
de ideias para outros poetas

§. POEMA-BALÃO: compre um ou mais balões de borracha e sobre ele(s) escreva um poema conhecido ou inédito; depois exploda-o com um alfinete ou deixe-o murchar. O poema pode se chamar também – poesia evanescente.

§. POEMA-ESPELHO: compre numa loja um espelho, ou do tamanho do corpo humano ou apenas do rosto, e corte nele as letras da palavra EGO. Recortado no espaço, o poema só existe na presença do espectador e dá margem a grandes colocações metafísicas e psicanalíticas.

§. POEMA-VELA: mande construir uma vela, mas que tenha o formato das letras da palavra LUZ, sendo que uma letra deve vir sobre a outra, pois o Z é a última letra do alfabeto.

O poema vai se queimando aos poucos dentro da sala escura.

§. POEMA-PAINEL: este poema exige uma tecnologia mais avançada: um painel eletrônico como aqueles do Jockey Club, das Bolsas de Valores e dos aeroportos. Com um *expert* em computadores programe uma série de versos, palavras e letras. O poema, luminoso, operará por si mesmo *n* combinações semânticas dos signos, incluindo naturalmente o *nonsense*.

§. POEMA-SECRETO: uma urna onde cada um colocará (dobrado) o seu poema escrito. Convém que o poema seja anônimo, não somente para que haja maior desinibição estético--existencial, mas também para se recobrar aquele prazer medieval da obra anônima feita pelas corporações de artistas. Minha mulher sugere que no fundo da urna (transparente) acenda-se um fogo automático quando o poema cair, eternizando pelas cinzas o segredo dos poemas.

§. OBS.: a Poesia Conceitual, que certamente fará escola e suscitará infindáveis discussões teóricas, possui fundamentos que remontam aos princípios básicos da arte e da filosofia através da questão: o que é mais autêntico e superior: a ideia ou a realidade?

# POEMA DEL MIO CHE

*Cantar Primeiro:*

Mio Cid movió de Havana para el burgo de Higueras
e así dexa sus palacios yermos e desheredados.

– Quien quiere comigo cercar Valencia?
ia El Che no Rocinonte pelas estradas.

Pernas flácidas,
pulmões cansados
e uma vontade trabalhada
com deleite de artesão.
Nada mudou em essência.

El Che, en tierra de moros prendiendo e ganando,
durmiendo los dias e las noches trasnochando
en ganar aquellas villas, El Che, duró tres anos.

– Quien quiere comigo conquistar Valencia?
dizia El Che campeador muy leal,
enquanto as gralhas
alheias à firmeza de sua fé/espada
no céu seguiam direção contrária.

Mio Cid no pudo rechazar el mal aguero:
e com seus pares
desceu irrefreável para o desfiladeiro final de
[Roncesvalles...

*Cantar Segundo:*

Ai, como caíram os valerosos no meio da peleja!
Não os anuncieis em Gates
nem o publiqueis nas ruas de Asquelon,
para que não se alegrem as casas dos filisteus
nem saltem de contentamento as filhas dos incircuncisos.

Rasgai ante vossos vestidos como o Rei,
cobrindo-vos de saco e cinza,
porque foi abatido aquele que era o ornamento dos
[exércitos.
Absalão, Absalão, meu filho, Absalão,
antes morrera eu em teu lugar, Absalão,
Absalão, meu filho.

Uma cidadela após outra cidadela
ele as abandonava depois de as conquistar,
como ao amante importa a amada por amar,
ao artesão a obra a acabar,
cidadela sobre cidadela
ele impunha a paz e caminhava.
Suas mãos outrora firmes com a espada
e doces no trato com as mulheres
arrojadas e profanadas caíram pelos campos
e seus dedos servem de pasto às aves do deserto.

E vós, montes de Higueras e matas do Grande Vale da
[Sombra da Morte,
nem orvalho nem chuva caíam sobre vós,
porque aí
            desprezivelmente
                        foi arrojado o escudo dos
valentes.
Ai, como caem os valerosos no meio da peleja!

96

*Cantar Terceiro:*

Dizem que vinha cansado em uma mula, já às portas
[da cidade
com o escudo meio de lado.
– Hosana! Hosana, Bendito aquele que vem em nome
[do Senhor!

Tardiamente, agora, pelo chão lançamos palmas
para que passe aquele que
vivo, tiveram que ferir,
ferido, tiveram que matar,
morto, tiveram que ocultar,
oculto, em cinzas transformar.

Pasado es deste sieglo El Che campeador
e en este logar se acaba esta razón
y, el julgar, su poema.
Mas das pedras ásperas de Roncesvalles
às areias cálidas de Alcácer-Quibir,
às matas ralas de Valle Grande

ecoa estranha voz
que as gralhas já não podem disfarçar:

O REI HÁ DE VOLTAR
O REI HÁ DE VOLTAR
O REI HÁ DE VOLTAR

e montado em seu corcel, posto que morto,
rasgando o cerco de Valencia
Mio Cid volta a mover a eterna guerra contra os mouros.

# COLOCAÇÃO DE BOMBAS
# E PRONOMES

Me levanto. Mas antes
que me calce ou me barbeie
– bombas caem em Da Nang.

Prossigo. Tomo café.
E bombas caem em Soa Tray.
Antes que eu pise o asfalto
– bombas caem em Don Xá.
Por isso, antes que um aluno me pergunte algo
vou dizendo surdo a tudo:
a colocação de um pronome varia com a circunstância…

Assim os absorvo e sequer percebem
que bombas caem em Suoi Ca Valley,
que bombas caem em Bien Hoa,
que bombas caem em Tan Son.

Há problemas literários sempre por resolver:
há adultério em Dom Casmurro?
Manuel de Almeida é realista?
Que é a língua brasileira?

Mas há outros nos jornais,
não tão sérios, é verdade,
mas difíceis de saber.

Bien Hoa
Can Tho
Tan Son

Estranhos nomes,
sangue feito mensagem,
rotina e depressão.

Bombas caem em Hanói
e nos parecem de palha
porque não caem em nós.

– *What is happening at Plei Mei?*
pergunta o *Christian Science*
mostrando as fotos onde os mortos
são dois mil.

Coisas se passaram em Can Nan Dong
e outras em Chu Pong passarão.

Poderia propor-lhes iguais problemas,
embora tenhamos tantos a resolver.

À tarde estou no escritório
– e os soldados pelos pântanos.
Corrijo provas, tomo café, telefono
– e os soldados pelos pântanos.
Enquanto janto, vejo as notícias,
à noite leio e me deito
e os soldados pelos pântanos.

Quando termina o dia em Paiphong?
a noite em Phua Yen?
e o temor em Ngham Din?
De outros términos eu sei.

Duas festas neste sábado.
Uma em Bel-Air, mansão dos Schulsmaster,
projeto de Frank Lloyd.

Domingo, piscina e concerto.
Segunda, volto às aulas com pronomes e novelas.

Meu fim de semana!
Carros belíssimos deslizam loiras-jovens-coloridos
com a inscrição *Win in Viet-Nam.*

E assim eu me confundo
como essa gente se confunde
entre o perder e o ganhar.
Já não sei reger tais verbos
ou dar-lhes conjugação.

Traiçoeiros são os verbos,
os verbos, seus sujeitos e os complementos da oração.

# A GRANDE FALA DO ÍNDIO GUARANI
# (1978)

# POEMA 1

– ONDE leria eu os poemas de meu tempo?
– Em que prisão-jornal?
        – em que consciência-muro?
                – em que berro-livro?

Como a besta apocalíptica procuro o texto
                que comido me degluta
e me arrebate
        e denuncie
E me punja
        e me resgate
                a mim já torturado e malcontido
                em gritos desse olvido
                – sob o pus dessa agressão.

– ONDE leria eu os poemas de meu tempo?
– No vazio de meu verso?
– na escrita que interditam?
                – na frase que renego?
                – no sentido a que me apego?

ou na pele do dia nordestina aberta
e abatida nos subúrbios de anemia e medo?

                ou

nos muros dos conventos
no musgo dos monumentos
na ruína intemporal que me arruína

ou

nas mesas frias dos conselhos
copos d'água café fumaça quadros mapas
e a fala-fala-fala-fala-fala
do grafite no papel de tídio
atando retos riscos sobre espirais de nada?

ou

quem sabe na lata de lixo que essa hora aflora
onde se ajuntam o gesso do abatido atleta
      os cães mendigos do jantar comido
      o coagulado sangue guerrilheiro
      os cacos do sorriso
      e as colas da esperança verminando
      o corpo de um sempre poeta morto
      dessangrando
      sobre as lombadas da história?
Como outros
      procuro o texto que me salve
                e me exaspere
      e me leve à cal
         não de um vão sepultamento
      mas à cal
       – do meu revezamento.

E arrancando da plateia os urros de vitória
superando os meus tropeços de vaidade inglória
me impeça de emborcar no nada.

– Existiria um tal poema tão ungido e ingente?
ou quem sabe a escrita dessa hora é ilusória
e o que chamamos "agora" não é mais
que aquilo que desora do bolor da história?

– Quem sabe tal letra já está gravada
                    nos palimpsestos assírios
                    na pena do sábio antigo?
ou de novo se fez poema
          no ovário da mulher
que na Amazônia foi castrada
          porque já somos muitos e imundos
          em muitas partes do mundo
e todos temem os pobres e os ratos
          que cruzam pelas ruas e subúrbios
          e se reproduzem e roem os cascos do iate
          e fornicam como praga migratória
          roendo a paz dos ricos
                              – que também ratos
          mesmo enquanto dormem
                              – nos devoram?

Insano
          em fúria
                    possesso
como outros procuro o texto que me des/oriente
e derrube as muralhas chinas e as vermelhas sibérias

e sendo um expurgado texto e um reprovado excurso
exponha o ódio meu de gerações
                              passadas
                              devoradas

pelo fogo das inquisições
em que Giordano Bruno e Galileu
            e Antônio José – o judeu
                        se arderam
                        e nos
                        salvaram

e sendo amor-e-ódio
            e
            o
            bem-e-o-mal

                  me resgate da covardia geral
                  e desse silêncio em que me
                              [instalam
                  – catre barroco onde me ardo
                  e onde me estalo em mil
                        [remorsos de incapaz.

# POEMA 3

E a pergunta martela e pousa
como um corvo
          no desespero aberto da janela:

– QUEM escreveria o poema de meu tempo?
– Eu próprio? Mas, com que mãos, arroubos, insânias?
          com que vaidades, prêmios,
                              [vexames?
Fala alguém por alguém
                    – como alheio coração?
Vive alguém por alguém
                    – ou morre sempre aquém da
                              [própria mão?

Não seriam a fala
          o amor
          a vida
          a metafórica versão do exílio
          o brilho da apagada estrela
          ausência e concreção do nada?

Sim, é verdade que cada dia sem mais do que se
compõem a poesia e o nada.

Debulho poemas e milharais
como o camponês aduba estrofes e mulheres.
Mas me sinto maduro e inútil. Como ontem:
– imaturo e fútil.

Não acordo mais às cinco
não selo mais o animal
desesperam-me os vegetais. Do pomar
olho minha inútil biblioteca. Doirados
frutos na estante.

Inutilíssima sapiência. Sabíamos tudo.
Merecíamos tudo. Tínhamos até fé.

Outrora eu passeava entre canteiros de enciclopédias
limpando pulgões podando ervas e páginas. Perdia-me
na contemplação da abelha sobre as letras:
– favos de mel derramavam-se da estante.

Todos nós líamos os poetas
mas não lavramos um mundo mais justo,
E enquanto soturnos decifrávamos as tabuinhas dos
[caldeus
os mais astutos e modernos
empolgavam o poder e os
[generais
marcando em nossas testas anátemas fatais.

E líamos grossos romancistas
exalando suor vermelho e revoltas sobre a praça
Povo era a palavra
e o amanhã era a palavra
da palavra povo.

Mas porque estava tudo escrito
                           nosso futuro
                                    petrificado
de nós se alienou. Ontem soltávamos pombas nos estádios
éramos leves, juvenis e a paz um *poster* de Picasso.
Mas foram-se os *posters* e Picasso
            – e as pombas não voltaram nunca mais.

Nossos pais também liam os poetas
citavam os clássicos
            e pelas noites com seus robes tomavam
                                    [chávenas
            e liam dourados tomos sem ver as traças
                        [– que nos comem.

Mas os acontecimentos desviaram-se dos livros
e por mais que entulhássemos os cursos de história
de novo a história
                    desviava-nos seus rios
e os livros
            nem sempre férteis
                        apodreciam no Nilo.

E sobrevieram borrascas explodindo códigos e leis
que eram logo dissolvidos e refeitos em novas leis
e códigos. E erguíamos diques e parágrafos murando
                                    [o mar
e a ressaca dos fatos
            – a tudo rebentar.

A vida, a vida é mais que profecias e algemas
a vida é irrefreável
não se contem nas lâminas
partidos
nem nos
fichários
e antenas

a vida
– é o impoemável poema.

# POEMA 10

Numa epístola anterior
jogando a pedra da **poesia sobre poesia**
                                  alheia e
                                  [envidraçada
eu prevenira que meu verso já se estava derramando.
                                  Agora
de nada mais adianta engenharias minhas e vizinhas
ou rochas de tropeço junto à barra do mar.
                                  Sou a vaga
Que arrebenta em maré cheia
                    decretai emergência poética
                    calamidade estética
                    ante a ressaca patética.

Vou transbordando numa enchente a devastar
                                  graficamente
alagando as cercas e afluentes.
                    Deixei as poéticas do não posso
no seu poço
          me enveredo por uma amazônica vertente
          a desaguar no branco espaço o berro e o barro
          a fecundar as margens submersas
                         e me lavar no foz
                         [do tempo
                    com as neves do meu
                         [tormento
          e assim

o
rio
ou poema
que começasse
por um fio ou
sinal de verso não
apenas fácil e fóssil
caligrama europeu ou rio
simbolista em curvas e zigue-
zagues coleantes e estonteantes
mas uma selvagem linguagem tropicalista
tatuagem picante cobra grande vanguar-
deira retorcida sem eira nem feira de
Caruaru ou lágrima gigante com Cien
Años de Soledad que nasce em Fuentes e
Albas com infâncias amarelas e Rayuelas
e ao mesmo tempo rio de tartarugas
ilhas negras e Nerudas rio joyceano
eterno rio-Rivera ruminando painéis
e ossos nordestinos de Portinari e
Orozco gongórico ou Cunha do teorema
de Euclides no sertão onde Antônio
é o Conselheiro do Império de Canudos a jogar lama
de entrudo na República das letras onde o gótico
Paradizo de Lezama Lima e Solimões galegos raivoso rio de
La Ciudad y los Perros caçado como Três Tristes Tigres
apanhando como boi ladrão sangrando ao fero berro de Martin
Fierro e outros machos mariachos ambíguo Riobaldo no liso
do sussuarão no corpo de Diadorim do amor guerreiro avan-
çando em bando como Lampião sangrando exércitos e macacos

ou então é uma Maria Bonita engravidada, a Uiara
des/menstruada e expulsa do sertão rio milagroso São Jorge
Amado cavaleiro desbocado Tiradentes ferido e barroco
Aleijadinho vertendo um Drummontanhoso rio em Mi/nas
onde brilha Lúcio Costa e o grande astro é o Oscar
Niemeyer num arquipélago Veríssimo de Brasilhas ao Tempo
e ao Vento nobre rio sempre vivo e não defunto Brás Cubas
afiando seu Machado ao corte da ironia contra o tronco
babilônico e amazônico onde Borges – o bedel, semeia
lêndeas sobre os louros de Allende além dos Andes rio cego
ou manada de búfalos marajoaras num tropel de ondas
quebrando a porcelana de Orellana e Martius num uni/versal
canto continental de regional cabotinagem num intercurso de
letras apanhando de vara de porcos capitalistas que cevaram
a morte de Guevara fluindo num sangue de Vargas gordas
num vasto sinclinal onde só ficou o demagógico petebista
peronista, Perón sí, Perón no, dentro das marmitas
operárias cheias de palmito palomitas desgraçadas sob as
patas de Zapata e assim se vai echando pedazos de alma do
Oiapoc ao Chuí, de José Marto a Fidel peregrinação
acuçarada em Tupac Amaro com igarapés e mãos amarradas
em amarelos paus de arara rolando Ajuricabas aos tapas e
Cacambos aos socos e rio copioso copião cinema novo
jorrando barro nas telas com barrancas carreando carrancas
de Casas Grandes & favelas como um rio sem destino sul-a-
mericanalhado rio sem Francisco ou pombos, todo nosso
geografando a geopolítica da fome virando o vírus do
geopoema num fluema ou maresia nacional orografada anal
desinteria em torno de Orós o grande açude oral contador
em desafio rude como na selva o seringueiro suga o látex e
faz a bola de borracha na polícia do empresário e a passa a
Pelé que leva ao parque industrial das águas multinacionais
na faina africana do negro rio de petróleo sempre nosso com

113

a bossa rio pouco popular embora seja mais uma samba de crioulo doido que stream of counciousness no fluxo de um deserto às avessas onde o profeta ou nada a pé ou perde o bonde e o emprego e canta um samba de Noel ou tango de Gardel correntes rio, ou carnaval no gelo? talvez um mar de mulatas com bundas e seios em ressaca mareando na avenida de um rio que passou em minha vida com chocalhos e o caralho, rio da mãe? ou filho sem pai? filho do boto rio zoológico mula sem cabeça ou de duas cabeças cobra, vidro de remédio e veneno que cura no escuro como os pagés e Jung num terreiro e eterno retorno do oprimido mandala preso na caixa chinesa de um banco mandarim na esquina onde pandora mora e é torturada a desaguar confissões de Iansã no intestino grosso da comida baiana rio com o não detido poeta numa lírica prisão de ventre estética há muito represada rio discurso irrefletido (?) num lago Titicaca obrando espelhos que seduzem o índio em sua balsa de caña com a alma aberta ao nada como a nau dos insensatos exilada e derivada de nau catarineta aportada num Tietê marioandradino de onde Macunaíma é ser protéico servindo de lodo e esterco ostentando relógios aztecas de Otávio em Paz e guerra de aluviões e sinfônicos uivos de Villa Lobos devorando bananas antilhanas nas telas onde Carmem Miranda se pinta catastrofando jacarés e iemanjando acarajés argilizando exculturas desestrelando aves e ovos na ilha da Páscoa já que Colombo abriu mão do (n) ovo e se desorientou pelo acidente des/velando o in/continente conteúdo manteúdo, agora é fácil continuar mas o difícil foi degelar a liberdade Andes que tardia em derramar a sopa rica de pobres versos e ficar num finca-pé quando tudo afunda em pororocas num dilúvio incréu

enquanto eu aqui
    num ex/pasmo
            a salvo das ondas

    como um Noé pagão
    e um guarani Tamandaré

            vou batalhando verdes
                        pombas
            na paisagem do nada.

# POEMA 15

Houve um tempo em que poesia havia.
E havendo poetas
                    havia
o tempo do canto
                    e o tempo
da alegria.

            Hoje
                – quem o escutaria?

Deveria eu como um grego tardio,
                            já que retardado
                                    [Jeremias
continuar clamando:
                    – Orfeu! rolai os dados de tuas
                                            [pedras
                    no deserto para uma nova Tebas.
- Secai meus ossos e nos ossos dos meus mortos ressoai

                    um mítico tempo novo
                    em que se ouça o rapsodo
                    nas arcadas triunfais
                    e eu me resgate do estorvo
                    e da descrença
                                – nas areias de Sinai.

– Poderiam ainda se inscrever no templo

os versos de ouro e glória que a Píndaro
[couberam
agora que a olimpíada está perdida?

– Pode Orfeu ainda juntar

o leão e a corça
o lobo e o gamo
o urso e o cabrito montês?

– Pode restaurar a paz da aldeia
– entre o soldado e o
[camponês?

– Não. Não é assim que vai Orfeu baixar
[à terra.
Assim gritando
Acabaremos roucos numa ópera de
[surdos.

– Pode um poeta tropical e equestre
ser cavalo de um deus
– grego ou
[celeste?

Deveria eu consultar os Orixás baianos
jogar os búzios do pagé no chão da taba
tentando ver na minha face a face oculta de Uirá?

– Há socorro ainda para Zambi descaído em seu Palmares?
– Salvação ainda para Atahualpa humilhado por Pizarro?
– Fé no ouro de Cholula conspurcado por Cortês?
– Que tormentos ainda aguardam Montezuma em
                              [Tenochtitlán?
e que traições a Ajuricaba na Amazônia?

O poeta olha seu tempo
            o seu poema
            o seu corpo em fezes se escoando
e, Narciso, se inquieta.

        Pensava decifrar na pele e escrita
        quando amou e desamou seu corpo na
                      [alfazema de outros corpos
e já cansado do amanhã esquartejou-se em postas de cruz
nas pirâmides do Sol e da Lua em Teotihuacan.

Diante do fogo. Nu
olho-me o pênis
                  pau
                    tacape.
Brinco com sua força. Inútil
à luz da lareira como um índio
a/traído e aldeado. Não sou
mais o jardineiro de Lady Chatterly nem o Adônis grego
ou aquela estátua renascentista numa praça de Veneza.
Sou um cacique bororo, moreno e inútil
coberto de tintas fortes e vergonha
no meu triste quarup espantando de sua aldeia
                              com flauta
                              a morte.

Sozinho, à luz do fogo
contemplo meu sexo voraz
          e o solitário povo. Olho o
                   [fogo.
          Não preciso mais roubá-lo
                   [a Zeus.
Caímos juntos em desgraça
          nas mesmas cinzas do
                   [olimpo.

Mas houve um tempo
em que meu pênis era um aríete e a mulher uma fortaleza
meu pênis era a alavanca numa cama movendo um
                   [universo.

Devo estar envelhecendo
          ou virando um jovem sábio
          – o que, ao revés, também
                 [não salva.
Não sou mais um adolescente no claustro seminando
                 [puros versos.
Meu pênis não é mais um poleiro onde possa recolher
          [todas as mulheres à noitinha.
Meu pênis não é o estilete inscrevendo sêmen nas tábuas
                 [da eternidade.
Antes, com Alexandre Nevsky, arrasaria com essa lança
                 [e espada
os exércitos mongóis e os afundaria em lagos de derrota
                 [e gelo.

Ainda um pouco
        e Salomão entre almofadas
        contemplarei um tédio meu
          [destronado sexo.

                Sábio e néscio
meu abatido povo e declinado pênis.

          Ali, no entanto, à minha frente
arde uma fogueira no passado.

Tento ler o tempo em que me ardo
e reviver minhas manhãs
        – antes que tarde.

# QUE PAÍS É ESTE?
## (1980)

# 24 DE AGOSTO DE 1954

*para Frei Beto*

Na madrugada em que Getúlio
     se matou
eu, no interior de Minas,
    dormia impunemente
    em adolescentes lençóis.

Os padeiros serviam pão
nas janelas, e nos quintais
os galos serviam a aurora
     – por cima dos generais.

Tomei meu mingau com aveia
    – a bênção da mãe na sala,
peguei nos lápis e livros
e saí pela neblina
sem saber que um feriado
me livraria das provas
- e me abateria na esquina.

    Às 10 horas a notícia quente
    me veio nas mãos e na fala
    do professor de História.

Suspensa a aula (e o país)
o mestre teorizava
para um grupo no portão
                    teorizava
como quem pisa o barro
erguendo tijolos frios
para exaurir
            – sangue e lama. A lama
                    que se derrama
                    não só dentro, de fora
                    dos jornais e dos palácios
                    ardendo vergonha e fogo
                    como o povo ardia a praça.

Me lembra a voz do messias
com seu sermão serra abaixo,
como uma ovelha acuada
falando em holocausto e sangue.

E havia a palavra *povo*

                    e a ela se referia
                    como seu ectoplasma.

O mais não lembro.
                    Foi um dia meio confuso
                    com rádio, jornal e fúria,
                    em que as lições eram dadas
                    fora dos muros da escola.

Outros dias se seguiram
com neblina, aveia e espanto,
os padeiros servindo o pão
– para os parvos comensais
e os galos servindo a história
– pela mão dos generais.

# RAINER MARIA RILKE E EU

**Rilke**

quando queria fazer poemas
pedia emprestado um castelo
tomava da pena de prata ou de pavão,
chamava os anjos por perto,
dedilhava a solidão
como um delfim
conversando coisas que europeu conversa
entre esculpidos gamos e cisnes
— num geométrico jardim.

**Eu**

moderno poeta, e brasileiro
com a pena e pele ressequidas ao sol dos trópicos,
quando penso em escrever poemas
— aterram-me sempre os terreais
[problemas.
Bem que eu gostaria
de chamar a família e amigos e todo o povo enfim
e sair com um saltério bíblico
dançando na praça como um louco David.

Mas não posso,

      pois quando compelido ao gesto do poema
      eu vou é pegando qualquer caneta ou lápis e
              [papel desembrulhado
      e escravo
      escrevo entre britadeiras buzinas sequestros
      [salários coquetéis televisão torturas e censuras
e os tiroteios
          que cinco vezes ao dia
          disparam na favela ao lado

metrificando assim meu verso marginal de perseguido
que vai cair baldio num terreno abandonado.

# QUE PAÍS É ESTE?

*para Raymundo Faoro*

"¿Puedo decir que nos han traicionado? No.
¿Que todos fueram buenos? Tampoco. Pero
alli está una buena voluntad, sin duda y
sobretodo, el s3er así."

CÉSAR VALLEJO

1

Uma coisa é um país,
outra um ajuntamento.

Uma coisa é um país
outra um regimento.

Uma coisa é um país,
outra o confinamento.

Mas já soube datas, guerras, estátuas
usei caderno "Avante"
        – e desfilei de tênis para o ditador.
Vinha de um "berço esplêndido" para um "futuro radioso"
e éramos maiores em tudo
        – discursando rios e pretensão.

Uma coisa é um país,
outra um fingimento.

Uma coisa é um país,
outra um monumento.

Uma coisa é um país,
outra o aviltamento.

Deveria derribar aflitos mapas sobre a praça
em busca da especiosa raiz? ou deveria
parar de ler jornais
              e ler anais
como anal
      animal
           hiena patética
                  na merda nacional?
Ou deveria, enfim, jejuar na Torre do Tombo
comendo o que as traças descomem
                       procurando
o Quinto Império, o primeiro portulano, a viciosa
                   [visão do paraíso
que nos impeliu a errar aqui?

Subo, de joelhos, as escadas dos arquivos
nacionais, como qualquer santo barroco
                     a rebuscar
no mofo dos papiros, no bolor
das pias batismais, no bodum das vestes reais
a ver o que se salvou com o tempo
e ao mesmo tempo
           – nos trai.

## 2

Há 500 anos caçamos índios e operários,
há 500 anos queimamos árvores e hereges,
há 500 anos estupramos livros e mulheres,
há 500 anos sugamos negras e aluguéis.

Há 500 anos dizemos:
       que o futuro a Deus pertence,
       que Deus nasceu na Bahia,
       que São Jorge é que é guerreiro,
       que do amanhã ninguém sabe,
       que conosco ninguém pode,
       que quem não pode se sacode.

Há 500 anos somos pretos de alma branca,
    não somos nada violentos,
    quem espera sempre alcança
    e quem não chora não mama
    ou quem tem padrinho vivo
    não morre nunca pagão.

Há 500 anos propalamos:
    este é o país do futuro,
    antes tarde do nunca,
    mais vale quem Deus ajuda
    e a Europa ainda se curva.

Há 500 anos
    somos raposas verdes
    colhendo uvas com os olhos,
    semeamos promessa e vento
    com tempestades na boca,

sonhamos a paz da Suécia
com suíças militares,

vendemos siris na estrada
e papagaios em Haia,

senzalamos casas-grandes
e sobramos mocambos,

bebemos cachaça e brahma
joaquim silvério e derrama,

a polícia nos dispera
e o futebol nos conclama,

cantamos salve-rainhas
e salve-se quem puder,

pois Jesus Cristo nos mata
num carnaval de mulatas.

Este é um país de síndicos em geral,
este é um país de cínicos em geral,
este é um país de civis e generais.

Este é o país do descontínuo
onde nada congemina,

e somos índios perdidos
na eletrônica oficina.

Nada nada congemina:
a mão leve do político
com nossa dura rotina,

o salário que nos come
e nossa sede canina,

a esperança que emparedam
e a nossa fé em ruína,

nada nada congemina:
a placidez desses santos
e nossa dor peregrina,

e nesse mundo às avessas
– a cor da noite é obsclara
e a claridez vespertina.

3

Sei que há outras pátrias. Mas
mato o touro nesta Espanha,
planto o lodo neste Nilo,
caço o almoço nesta Zâmbia,
me batizo neste Ganges,
vivo eterno em meu Nepal.

Esta é a rua em que brinquei,
a bola de meia que chutei,
a cabra-cega que encontrei,
o passa-anel que repassei,
a carniça que pulei.

Este é o país que pude
que me deram
e ao que me dei,
e é possível que por ele, imerecido,
– ainda me morrerei.


4

Minha geração se fez de terços e rosários:

– um terço se exilou
– um terço se fuzilou
– um terço desesperou

e nessa missa enganosa
– houve sangue e desamor.
[Por isto,
canto-o-chão mais áspero e cato-me
ao nível da emoção.

Caí de quatro
animal
sem compaixão.

Uma coisa é um país,
outra uma cicatriz.

Uma coisa é um país,
outra a abatida cerviz.

Uma coisa é um país,
outra esses duros perfis.

Deveria eu catar os que sobraram,
        os que se arrependeram,
        os que sobreviveram em suas tocas
e num seminário de erradios ratos
                suplicar:
                    – expliquem-me
                        [a mim
                e ao meu país?

Vivo no século vinte, sigo para o vinte e um
ainda preso ao dezenove
                como um tonto guarani
                e aldeado vacum. Sei que
                        [daqui a pouco
                não haverá mais país.

País:
        loucura de quantos generais a cavalo
        escalpelando índios nos murais,
        queimando caravelas e livros
                        – nas fogueiras e cais,
        homens gordos melosos sorrisos comensais
        politicando subúrbios e arando votos
        e benesses nos palanques oficiais.

Leio, releio os exagetas.
Quanto mais leio, descreio. Insisto?
Deve ser um mal do século
– se não for um mal de vista.

        Já pensei: – é erro meu. Não nasci no tempo certo.
                Em vez de um poeta crente
                sou um profeta ateu.

Em vez da epopeia nobre,
os de meu tempo me legam
como tema
    – a farsa
e o amargo riso plebeu.


5

Mas sigo o meu trilho. Falo o que sinto
e sinto muito o que falo
    – pois morro sempre que calo.
Minha geração se fez de lições mal-aprendidas.
    – e classes despreparadas.
Olhávamos ávidos o calendário. Éramos jovens.
Tínhamos a "história" ao nosso lado. Muitos
maduravam um rubro outubro
    outros iam ardendo um torpe
      [agosto.
Mas nem sempre ao verde abril
    se segue a flor de maio.
Às vezes se segue o fosso
    – e o roer do magro osso.
E o que era revolução outrora
    agora passa à convulsão
      [inglória.
E enquanto ardíamos a derrota como escória
e os vendedores nos palácios espocavam suas
      [champanhes
      sobre a aurora
o reprovado aluno aprendia
    com quantos paus se faz a derrisória
      [estória.

Convertidos em alvo e presa da real caçada
abriu-se embandeirado
um festival de caça aos pombos
– enquanto raiava sanguínea e fresca a
[madrugada.
Os mais afoitos e desesperados
em vez de regressarem como eu
sobre os covardes passos,
e em vez de abrirem suas tendas para a fome dos desertos,
seguiram no horizonte uma miragem
e logo da luta
passaram
ao luto.

Vi-os lubrificando suas armas
e os vi tombados pelas ruas e grutas.
Vi-os arrebatando louros e mulheres
e serem sepultados às ocultas.
Vi-os pisando o palco da tropical tragédia
e por mais que os advertisse do inevitável final
não pude lhes poupar o sangue e o ritual.

Hoje
os que sobraram vivem em escuras
e europeias alamedas, em subterrâneos
de saudade, aspirando um chão-de-estrelas,
plangendo um violão com  seu violado desejo
a colher flores em suecos cemitérios.

Talvez
todo o país seja apenas um ajuntamento
e o consequente aviltamento
– e uma insolvente cicatriz.

Mas este é o que me deram,
e este é o que eu lamento,
e é neste que espero
　　　　　– livrar-me do meu tormento.

Meu problema, parece, é mesmo de princípio:
- do prazer e da realidade
　　　　　　– que eu pensava
com o tempo resolver
　　　　　　– mas só agrava com a idade.

Há quem se ajuste
engolindo seu fel com mel.
Eu escrevo o desajuste
vomitando no papel.


6

Mas este é um povo bom

　　　　　me pedem que repita
　　　　　como um monge cenobita
　　　　　enquanto me dão porrada
　　　　　e me vigiam a escrita.

Sim. Este é um povo bom. Mas isto também diziam
os faraós
　　　　enquanto amassavam o barro da carne escrava.
Isso digo toda noite
　　　　　enquanto me assaltam a casa,
isso digo
　　　　aos montes em desalento
enquanto recolho meu sermão ao vento.

Povo. Como cicatrizar nas faces sua imagem perversa
[e una?
Desconfio muito do povo. O povo, com razão,
– desconfia muito de
[mim.

Estivemos juntos na praça, na trapaça e na desgraça,
mas ele não me entende
– nem eu posso convertê-lo.
A menos que suba estádios, antenas, montanhas
e com três mentiras eternas
o seduza para além da ordem
[moral.

Quando cruzamos pelas ruas
não vejo nenhum carinho ou especial predileção nos
[seus olhos.

Há antes incômoda suspeita. Agarro documentos,
[embrulhos, família
a prevenir mal-entendidos sangrentos.

Daí, já vejo as manchetes:

– o poeta que matou o povo
– o povo que só/çobrou ao poeta
– (ou o poeta apesar do povo?)

– Eles não vão te perdoar
– me adverte o exageta.
Mas como um país não é a soma de rios, leis, nomes
[de ruas, questionários e geladeiras,

e a cidade do interior não é apenas gás neon, quermesse
[e fonte luminosa,
uma mulher também não é só capa de revista, bundas
[e peitos fingindo que é coisa nossa.

Povo
também são os falsários
e não apenas os operários,

povo
também são os sifilíticos
não só atletas e políticos,

povo
são as bichas, putas e artistas
e não só escoteiros
e heróis de falsas lutas,
são as costureiras e dondocas
e os carcereiros
e os que estão nos eitos e docas.

Assim como uma religião não se faz só de missas na
[matriz,
mas de mártires e esmolas, muito sangue e cicatriz,
a escravidão
para resgatar os ferros de seus ombros
requer
poetas negros que refaçam seus palmares e quilombos.

Um país não pode ser só a soma
de censuras redondas e quilômetros
quadrados de aventura, e o povo

não é nada novo
  – é um ovo
  que ora gera e degenera
  que pode ser coisa viva
    – ou ave torta
depende de quem o põe
  – ou quem o gala.

7

Percebo
  que não sou um poeta brasileiro. Sequer
  um poeta mineiro. Não há fazendas, morros,
  casas velhas, barroquismos nos meus versos.

Embora meu pai viesse de Ouro Preto com bandas de
  [música polícia militar casos de assombração e
    [uma calma milenar,
  [embora minha mãe fosse imigrando hortaliças
[protestantes tecendo filhos nas fábricas e amassando
    [a fé e o pão,
olho Minas com um amor distante,
como se eu, e não minha mulher
  – fosse um poeta etíope.

Fácil não era apenas os tempos das arcádias
entre cupidos e sanfoninhas,
fácil também era o tempo dos partidos:
  – poeta sabia "história",
  vivia em sua "célula",

o povo era seu *hobby* e profissão,
o povo era seu cristo e salvação.
O povo, no entanto, não é o cão
e o patrão
    – o lobo. Ambos são povo.
    E o povo sendo ambíguo
    é o seu próprio cão e lobo

Uma coisa é o povo, outra a fome.
Se chamais povo à malta de famintos,
se chamais povo à marcha regular das armas.
se chamais povo aos urros e silvos no esporte popular,
então mais amo uma manada de búfalos em Marajó
e diferença já não há
entre as formigas que devastam minha horta
e as hordas de gafanhoto de 1948
que em carnaval de fome
o próprio povo celebrou.

Povo
    não pode ser sempre o coletivo de fome.
Povo
    não pode ser um séquito sem nome.
Povo
    não pode ser o diminutivo de homem.
O povo, aliás,
    deve estar cansado desse nome,
embora seu instinto o leve à agressão
                   e embora
o aumentativo de fome
          possa ser
              revolução.

# ÍNDIOS MENINOS

*para Roberto DaMatta*

## 1

Passeio pelas ruas de Amsterdã,
mas não são os canais, como os de Veneza, que admiro,
não são os *hippies* fumando haxixe e maconha em ócio
[pela praça,
não são as mulheres vivas dentro das vitrinas à espera
[que alguém lhes compre o sexo.

Certo
a casa de Rembrandt, o Museu de Van Gogh, o
[prédio de Anne Frank
chamam por segundos minha atenção turista.

Mas não é isto o que eu procuro.
Saio naufragado do Museu da Cidade entre esquadras,
[mapas, pratos da Companhia das Índias, lembrando
o que Nassau fez ou não fez no Recife e Maranhão.

Mas não é isto ainda o que busco
tomando bondes pelos subúrbios, perguntando
aflito e frustro.

O que me intriga
     é descobrir
que fim levaram os 11 índios meninos
(cada um de uma tribo) que Nassau embarcou consigo,
quando deixou vencido o Recife.

   – Teriam fenecido no mar
    de enjoo, escorbuto e pranto?

   – O que faziam no frio dos palácios
    com sua nudez ingênua?

   – Casaram, chegando à Holanda?
   – Foram bons pais de família?
   – Ou viraram homens de negócio
    e acionistas da Philips, esquecendo-se
    das penas que passaram
    no Brasil Colônia?

   – Chegaram a ter descendentes? ou
       [retornaram
   aos costumes, e agora, como *hippies*,
   habitam os fundos da velha Dome?

Os ricos e reis
   adoram dar bichos e gente
       de presente.

Os pobres e índios
   resistem o quanto podem,
   se enredando e se rendendo,
   virando móvel e parente,
   ou somem nos palácios e navios

entre quentes coxas das princesas
e a espada fria dos senhores.
Não tenho mais que 6 horas de sobra
na pista desses sequestros, e tenho que ir a Paris
procurar mais 10 meninos índios
levados de presente para o rei
[Henrique II.

E de antemão me pergunto:
o que ocorreu com meus índios
perdidos na *rive gauche*? Viraram
[bolsistas
de arte? se converteram a Marx?
[tinham
jeito de maoístas? ou terminaram o
mestrado de Semiologia com Barthes?

Ou quem sabe já chego tarde, e morreram na Indochina,
explodiram a embaixada em Argel, viraram chofer de táxi,
e cansados do vinho e queijo caseiros
alistaram-se de vez na Legião Estrangeira?

É muito índio e pouco tempo
o que disponho pela frente.
– Deveria me socorrer da Funai, Funabem, Unesco
e abrir creches de desespero?

Estou perdido na Europa. E nunca fui ao Xingu,
sequer pisei o Araguaia.
Quando chegarei às colônias jesuítas, que arrasamos
junto ao Paraguai?

Não posso abrir mais livros de histórias, nem
devo ler mais jornais. Finjo que não vejo os índios adultos
e maduros que caem das telas dos cinemas e entulham
[meus quintais.

Há índios no guarda-roupa, índios na minha cama,
[embaixo e em cima
da mesa. Já não posso mais ir à horta,
qualquer dia não poderei abrir a porta. Estarei submerso
[na sala
entre papéis, cabanas e tacapes.

Antropólogos futuros
não entenderão o achado. Anotarão:
esse era um poeta estranho.
Não se sabe a sua tribo.
Colecionava livros e infâncias,
vivia falando de índios.
e morreu sufocado
sob uma pirâmide de ossos e poemas.

# A MORTE DA BALEIA

*para Tristão de Athayde*

### 1

Na Paraíba, Nordeste do país,
convidam-me a ver a morte da baleia.
Dizem: – pesca da baleia – como se dissessem: – jogar
[tênis
ou qualquer outro esporte
   em que o animal
     participasse alegremente.
Dizem: – pesca da baleia – como se dissessem: – ir à missa
   onde Cristo morreria impunemente.
Dizem: – pesca da baleia – como se dissessem: – carnaval
   onde se brinca eternamente.

O espetáculo dura toda a noite
e quem o assiste não pensa em assassinato.

Pensa:
   vou como quem vai às compras
   – ou algo semelhante,
   vou visitar parente
   – vou ver filme interessante.

Ninguém diz: – vou ao enterro da baleia
           – que em mim mato e morre a cada
                    [instante.

2

"Junho – diz-me este folheto – é tempo de pureza e paz".
Por isto
      "o dia começa no mar. Bem cedo
      lá pelas 4 horas
              desponta o Seiho Maru
      (todo de aço)
             nas verdes águas
             da costa paraibana.
      Avistada a presa o tiro é certeiro
      e a pequena reação da baleia
           – só apressa seu final".

Como se vê
      não é jogo floral nem ikebana
      e o samurai é quem morre
      nesta luta marcial.

Por isto é preciso desfolhar desse folheto
além do dito, o não dito:
          – o que não diz nosso ódio
          e o nosso medo desdiz.

Deveria eu dizer, por exemplo,
que arpões explodem na montanha de carne num
          [guarda-chuva de sangue?

e que são arpões modernos e eternos
     que não toleram o arranque,
     que não toleram a sanha,
     que quanto mais se puxa
       – mais o fero inferno
       [entranha?

3

Nos romances como *Moby Dick* e *O velho e o mar*
ou na história bíblica de Jonas
o animal é algo nobre
     e a vida
       – um duelo par-a-par.

Entre o homem e a fera há
     um pacto de amor e ódio,
     um rito de água e sangue,
     e a vitória é de ambos.

Mas este folheto descreve
palanques no local e um festival
de lâminas e gestos
     que espertos funcionários da
       [Copesbra
     executam em dança nordestina
       [e oriental
     retalhando em dois minutos
     a descomunal carne da presa.

E o folheto ainda reza:
"Da baleia tudo se aproveita:
óleo
charque
farinha de osso
fígado
adubo
carne-verde.
As barbatanas
e os dentes

convertem-se em adornos
vendidos aos turistas"
– trazidos no Planetur.

4

Deveria eu introduzir um pouco mais de humor nessa
[tragédia e dizer?

– no Nordeste do país
convidam-me para um drama
onde quem morre
– é a principal atriz.

Deveria eu distribuir um pouco mais de aço no
[cangaço
e dizer?

– nos mares do sertão
onde o sangue é agreste e aguado
a baleia é o Lampião
que morre sempre sangrado.

Deveria eu suar com um pouco mais de gozo nesse ato
e dizer?

    – nas costas da Paraíba
    convidam-me a ver o orgasmo
    visual de seus arpões,
    e o ensanguentado espasmo
               – dos cações

Deveria derramar um pouco mais de óleo nesse mar
e dizer?

    – em nossas duzentas milhas
    quando a broca pesqueira
    perfura a rocha-baleia
    ela volta do mergulho e expele
    seu íntimo e último petróleo
    que a engenharia terrestre
    de seu corpo faz jorrar.

Deveria eu tocar um pouco mais de dança no folclore
e dizer?

    – nas festas da Paraíba
    assisto ao bumba-baleia
    onde o boi é um ser marinho
    que dança morto na areia.

    Mas sendo este cetáceo
    um pesado bailarino
    a quem negam engenho e arte,
    como um peixe-aderaldo
    ou um cego-cachalote

ele se perde nas rimas
enquanto perde seu mote.
É um ator-espadarte
que se esquece da deixa
e ao reler a linha d'água
no discurso do horizonte
descobre o ponto da morte.

Por isto este palhaço
que no palco larga as partes

é o cantor desafinado
que perdeu seu desafio,
é o poeta em cruz pregado
com martelo agalopado,
é o cavalo-marinho
que sobre a terra é
[caçado,
é a nau catarineta
que nunca achou o
[caminho.

5

Descubro no folheto

o folhetim da aventura
um mapa que não decifro, a dura rota
[pirata
dos que verminam nas grutas da baleia
numa engordurada fúria, como se
[pilhassem

            a ossatura náufraga de um barco
            encalhado num rochedo
                a dessangrar riqueza espúria.

E descubro
            que quando cortam suas entranhas
            e as espalham no varal da areia
também se pode dizer:
                vou quarar as carnes dela
                como lavo meu lençol,

                e ensaboar minha alma
                com o anil comercial,

                vou limpar-me de suas tintas
                como o pintor o pincel

                e no quaradouro da tarde
                fazer nossa bienal.

Essas carnes no cordel, descoloridas
são festas de São João
                ou avesso carnaval?

Então por que aqui se ajuntam dúzias
de pescadores num diário ritual
onde ninguém se julga Judas
embora comam o pão e o vinho
                    – do salvador animal?

152

6

– Como sendo eu mineiro
    – do sem-mar,
    – do montanhoso horizonte,
posso pintar baleias bíblicas
fora da barroca e eterna nave que Ataíde deu a Deus?

– Que direito tenho eu
    entre mutilados profetas,
    de falar do ouro torpe e inconfidente
    que lavramos nas baleias das
        [conjurações,
    e do aço e ferro que extraímos
    do pelo das montanhas
    – que morrem ensanguentados
        [no poente?

– Como dizer
    que em Minas não esquartejam baleias?
    nem salgam sua casa, casco e nome?
    que aqui se morre de morte natural
        no frigominas
        no frigonorte,
    que uma coisa é o zebu e outra o espadarte,
    que uma coisa é o gado gir outra o cachalote,
    que uma coisa é animal de pesca
        – outra o
        [animal de corte?

153

– Que tenho eu a dizer
se em Minas não fazemos carne-seca
com sua aguada morte?
nem grelhamos nossos lucros
no braseiro azul das
[horas?
nem estendemos seu couro
em nossa entapetada
[alma?
nem penteamos o ócio
com os cornos de sua
[sorte?

Deus me livre de comparar tais coisas
e cometer crimes poéticos
que Horácio condenou

– pois nos nordestes de Roma
e nos coliseus daqui
sempre cai em
[desgraça
quem pinta um javali nas ondas
ou um delfim nas matas.
Por isto apago do mar o boi
e a baleia apago ao pasto.

Inconfidente confesso
torturado na devassa
pesco a lição da história
na baleia-paraíba
e nas minas das gerais
– duas maneiras de estar
perdido num só país.

154

Me lembro de um certo outubro
(da Aliança Liberal)
dos idos tristes de março
(que para alguns foi abril)
em que o povo – esse anfíbio
como sempre foi pescado
pelo discurso na praça:
    – façamos a revolução
antes que a baleia a faça.

7

Esta baleia-mulher lancetada
        nos fios do bastidor
é a mulher nordestina
    entre-tecida na renda,
    entristecida na sede
    e possuída na rede
        – do seu senhor.
    Maria Bonita dos mares,
    sinhá-moça de espartilho,
    mulata seviciada,
    freira limpa enclausurada,
    mulher-dama desonrada,
    doméstica empregada,
    operária empobrecida,
        virgem-máter
        [dolorosa.

Esta é a baleia-mulher
             despencando
                    dos motéis
aos disparos musculosos do pescador assassino
                              e seu
                              [sexo voraz.

Mais que a baleia-azul
             é a baleia-menina, a mink
             criança, baleia-em-flor
             na grade colegial
adolescente e ansiada
             desvirginada andorinha
             no azul-e-branco da tarde
                    do colégio que há
                              [em nós.

Esta baleia-mulher
é a que retemos em casa
(dividimos com amantes)
sonhamos que é mãe perfeita
prepara jantar e cama
e nos serve o copo e o corpo
em postas de carne amorfa.


8

Elas se ajuntam em manadas no marajó das águas?
Elas rezam em grupo como crentes com sua fé disparada?
Sobem ladeiras de ondas com seus ex-votos nos ossos?

Baleias são como o povo.
Esperam o líder-messias
e o seguem proletárias
num aquoso comício
até se jogarem na areia
das prisões
e calabouços.

Baleias são como o povo.
Desprotegida alimária
sem saber qual o salário
qual a força de trabalho,
desovando em praça alheia
como se o mar fosse seu.

E no Nordeste, as baleias
confundidas, ignoram
se o sertão já
[virou mar,
se o mar virou
[sertão.

Antes lembram o Conselheiro
com seus homens de Canudos
caçados pelos obuses
de nossa fera república.

No Nordeste do país
assim como na favela ao lado
talvez haja "pureza e paz"
como há polícia e grito
se amanhece uma milícia
entre pássaros aos bandos

na "operação arco-íris"
contra o pivete-baleia
e o terrorista cardume
preso em bancos de areia.

Ainda ontem em Ipanema
uma garota-baleia
vinda do chopp das ondas
encalhou
à beira-mar.
Foi morta
pelos banhistas
e aquele que
salva-vidas
dela salvou-lhe o olho
num colar para Iemanjá.

Por isto
a morte marítima,
terrestre
ou marginal

dessa baleia
mais que metáfora
ou pintura,
mais que mostra multinacional de usura,
a qualquer hora que ocorra,
além de um crime a se ostentar,
é a nossa impotência na linha do horizonte,
um modo colorido de trucidar a aurora

— e ensanguentar o mar.

# MULHER

## 1

Estão matando nossas filhas e mulheres
e acompanhamos pasmos o enterro das vizinhas.

Sem contar as que abortam nos subúrbios
e se enterram em ensanguentados panos menstruais,

e as que expulsamos dos porões de nossa honra,
e vão apodrecer varizes no pantanoso orgasmo dos
[mangues.

E a gente fazendo juras,
desembainhando vagidos,
disseminando na grei:
"no céu! no céu!
com minha mãe estarei"
enquanto a ladainha dos fatos
congrega nos adros e prados
a reza dos garanhões:

– na esquina te esperarei
e no mato te estuprarei,

– no carro te levarei
e aos tapas te abrirei

– te aguardarei após os coitos
e o dinheiro tomarei,

– te compro *nylons* e sedas
e com amor te enforcarei.

2

Estamos matando nossas filhas, mães e irmãs
como sempre derrubamos negras nos celeiros
e índias na floresta,
Em Nova York estupramos 45 por hora
num sufoco de abatidas gazelas. Nos subúrbios
de São Paulo e nas favelas do Rio
já não há
[contas,
mas se pode ouvir no amanhecer
a enorme grita das reses
pelo alarido dos
[jornais.

Nossos crimes
nem sempre são conventuais:
são seculares, e pendem das mãos dos Césares
como a vida dos soldados depende dos
[generais.

E assassinamos de um modo doce e caseiro:

te darei casa e comida,
de filhos te encherei
e viagens quantas querias
na casa em que te ancorei.

Te darei pensão e roupas
e um cinto de castidade
com que te possuirei.

Modernos,
      nem sempre os abatemos com bordunas.
Com delicadeza cruel as atraímos à rede e grade
de um fero amor e zoológico sustento.

Ali –
    a ursa enfurnada em seus muros, a pantera
    no apartamento enjaulada, a loba
    com suas peles e telas, a girafa e a zebra
    numa festa de brincos ricos
    correndo paralelas ou paradas nas savanas
    e poltronas vestidas em listas condenadas.

Ali –

    estão expostas funcionárias
    ante o ócio de nossos olhos
    preenchendo a paisagem como espécie rara.
    Delicados, condecendentes, as inscrevemos
    em vários cursos, deixando os intercursos avulsos
    para nós – os machos
             – e as putas.

Algumas assim aprendem línguas
             sexônicas e ladinas,
outras têm suas línguas amortecidas
             nas cadeiras dos dentistas,
a outras damos cursos de piano
             empoeirado
             no descante das visitas,

cursos de *batik* e artes
para as rendas das tardes
nas butiques,

cursos de *ballet* e dança
posando estátua antiga,
burra e mansa,

cursos de etiqueta
que detêm o arroto, ensinam o
                queijo e o vinho
mas não esfriam a buceta.

## 3

– Pode a mulher ser soldado
                Joana D'Arc, Maria
                Quitéria e Anita Garibaldi?
– ou deve ser domada prisioneira, o avesso
do sol, a lua de carne branca, nua e crua
de que falam os maus poetas nas canções banais?

– É a mulher aquela estátua, cisne a estrela?
                noiva, ninfa, rosa e abelha?

Ah, nossa literatura
        cheia de iracemas e isauras,
        paraguaçus e moemas,
        beatrizes, julietas,
        estátuas e noivas mortas,
        princesas em guerra atroz
        contra a cruel enxaqueca.

Como dizia o poeta:
– "a garupa da vaca era palustre e bela" –
e eu conheci um homem
que tinha três fazendas,
400 escravos,
mesa de cem talheres,
sem contar
– as vacas e mulheres.

– Por que negar
que as mulheres têm vagina
(a não ser nos consultórios)
e que ao amar têm babas,
pelos
orgasmos grandes
e pequenos lábios,
mais que vulva e uivos
e gozo de santa e puta?

– Por que dizer
(com o pudor de antologias)
que a mulher só tem colinas
marés,
dunas,
taças
e grutas?

e ignorar que afloram a fauna
de pernas e ideias,
queixas e coxas,
pentelhos e medos,
emoção, mais que
esmaltes e espelhos?

# 4

Nos tempos de meu avô
havia assunto de homem
e cochicho de mulher.

E como homem não chorava
mulher também não gozava.

E como homem não broxava
a mulher não reclamava.

Homem sério não falia,
mulher séria não trepava.

Engolia a raiva à mesa
e a vomitava na igreja.

Nunca saía sozinha,
seu lugar era a cozinha.

E quando nua na cama
tinha inveja da mucama.

O homem trazia a sede
e a mulher servia o pote.

Ou então:
    – a mulher trazia o dote
    e o homem lhe dava o bote.

# 5

Lá está ela: como nos tempos do avô
numa tríade exemplar:
a mãe preta no peito,
a mulata no leito,
a mãe branca no lar.

Lá está ela:
tão pura, tão luz,
tão cheia de roupas e anseios nus,
como uma cordeira tirando lã do sexo
– para dar pontos de cruz.

Lá está ela:
nos engenhos do silêncio
como açúcar do senhor, tecendo filhos e rezas,
pastando orgasmo sem sal, passando de pai
a marido
– como mobília real.

Lá está ela:
com seus patins nos teares
fiando um menor salário, engravidando
às ocultas e ocultando que ama.
– Lá está ela: rodando as bobinas
dos seios, as navetes da perna
com seu amor operário
– na mais-valia da cama.

# AMOR: VERSO,
# REVERSO, CONVERSO

### 1 (Verso)

Com exceção de uma
Deus
tem posto mulheres maravilhosas no meu caminho.

Como não tê-las amado
a cada uma conforme a beleza que afloravam
e a carência que eu trazia?
Nas horas mais estranhas me surgiam
com pernas e bocas, unhas e espanto
e tomando-me pelo sexo crivavam-me de mitos
como seu eu, fauno das praias e unicórnio das ruas,
pudesse dormir num colo virgem eternamente.

Delicadamente
e em desespero celebravam com meu sexo em suas
                              [bocas quentes
a ceia inaugural de nosso sangue,
enquanto as línguas em pentecostes com os dentes
sugavam da glande das nuvens copioso mel.
Cervavam-se de mãos e seios, ancas e aflições
alisando-me a alma e o pelo
enquanto na fúria da posse, possuído
eu as invadia por todas as entradas
num bloqueio de rosas e alaridos.

Salta a primavera à luz dos tatos
enquanto os corpos se desfazem respirando
[eternidade.
Com exceção de uma
Deus
tem posto mulheres maravilhosas no meu caminho.
Não fui pusilânime o bastante
para evitá-las, antes tomei-as de seus lares
por horas, meses e camas
colhendo sêmen e jorrando oásis
e entre gestos e dramas
as fui consumindo num mesmo e insano orgasmo.

2 (Reverso)

Trazei-me guirlandas e donaires
vestais de meus terreiros,
Iansãs,
Orixás,
Mães de Santo,
Iemanjás,

enquanto feliz me suplicio em cilícios
de um passado gozo sobre o meu corpo no chão.

Não,
eu não amei as antigas amadas
como deveria, como poderia, como pretendia.

Em vez de um bárbaro africano
era apenas um tropical e descaído Prometeu
atento apenas à mesquinha luz do orgasmo.

Fui perverso, desatento, fechado demais em meus
[espelhos.
A rigor,
conheci também a solidão, o desprazer solitário,
a indiferença, o riso, a neurose que fere,
as portas da madrugada, os bares fétidos, escusas
festas e conspurcados lençóis.

Quantas vezes sobre o corpo virgem
e aberto
fechei-me enigmático
arrojando de mim a chave
e o prazer que não doei, porque confuso
caçador entre as presas da floresta
não sabia em que árvore deflorar o meu desejo.

Elas se abriam
e eu me engolia em musgo e pedra.
Elas bramiam
e eu me fechava em crua fala.
Elas despencavam dos táxis e relógios
e eu, solícito e mesquinho
lhes acenava o paraíso
– e me exilava.
Como portais de uma cidade mítica
– abandonada
estou seguro
que essas mulheres não sabiam do enigma que
[portavam,
embora se deixassem escavar por mim, falso arqueólogo,
explorador de minas infantis no subsolo.
Também eu não sabia do mistério que em suas carnes
[tateava.

168

Olhava-lhes as pernas rijas
                    como as colunas que o cego
                    Sansão na fúria
                          – derribava.
E aquelas coxas ali me sitiando
                    muros quentes que eu ia
                        [penetrando
com a inconsequência de um bárbaro-romano.

Hoje eu traria flores em vez de adagas.
Mas de que vale essa sabedoria pousando em mim,
                        [octogenário
Salomão ditando provérbios para um harém desabitado?

3 (Converso)

Entre todas
Deus
tem posto uma mulher no meu caminho
                          – maravilhosa.
E foi preciso o teu amor, mulher,
maduro amor completo amor acima
de minha pequenez presente e minha sordidez passada,
esse amor
          que me tocou quando dele mais eu carecia,
          porque da ilusória abundância
                    já me fatigava
          e no crepúsculo erguia a tenda e jejuava.

Foi preciso o teu amor, mulher, tu que partes
minha vida em duas e com a parte que povoas
dás sentido à deserta moradia.

Agora
que tenho em ti a face do meu corpo que em outros
[refletia,
poderia me voltar
e recobrir as falhas dos amores
[mal-versados
e reinvestidos no teu rosto,

que um amor apenas não te cobre
sou pequeno demais, preciso do amor geral
[recuperado
para a dimensão que tens, que é ilimitada,
preciso da força de um amor avaro, desperdiçado,
e de um corpo que em mim, seja maior que eu
para cobrir a dimensão que tens
somando os meus
[passados.

Entre meu corpo e outro
havia a falha,
a ausência,
o abismo
a perdida unidade,
a cicatriz no espelho
e a solidão do não-achado.

Agora
concentro-me inteiro
na plenitude dupla desse corpo
e desfiro, sem passagens, meu espanto
e orgasmo no útero da eternidade.

# LIMITAÇÕES DO FLERTE

Que fim levaram aquelas
que flertamos nos bares,
esquinas e aeroportos?
Não aquelas que levamos
ao restaurante, parques
e camas, mas aquelas tocadas
num leve aceno, de longe,
corpo fluindo e morrendo
na ponte aérea do instante.

Mas por que pensar nas distantes
que nem tocamos na mão ou fronte?
Preferimos jogar com a ausente?
É essa a nossa concreta fonte?
Como se vê, não adianta, não se aprende.
A gente aqui pensando nas que flertamos
de leve, em dois minutos intensos,
entre um sorriso e o gesto frustro,
enquanto, perto, pisamos brutos
o calcanhar da que está junto,
ou pulamos na jugular
da que nos cobre de frutos,
olhando por sobre os muros
as que ondeiam seus bustos
sobre a linha do horizonte.

– Amar com os olhos é mais fácil
e anônimo? – É mais fútil? É declarar
por telefone, apenas com um fio
de voz que enrosca os corpos e mentes,
ou melhor, numa vaga prolação, sem dormente
ou trilho que leve o trem-passageiro
ao outro corpo-estação.

Mas como é vegetativo esse amar plantado,
esgalhando o olhar furtivamente. A isso,
prefiro carnívoras plantas que se abraçam
e num sufoco se esmigalham deixando ao chão
sementes em que piso, convertendo a morte havida
em refluir de raízes.
Flertar é texto-antigo, é bordar caligrafias
quando há guerra e telegramas. Flertar é prefácio
e eu quero logo desfolhar o livro. Flertar é usar binóculos
devastando camarotes oblíquos
quando o drama está no palco
                     – e em nossos corpos aflitos.

Amar assim tão voyeurista, é tão perverso
como amar só por carta, com a caneta em riste e triste,
é pior que conhecer estrela só na foto,
é apenas vê-la de luneta, correr atrás de um cometa.
É chamar a fêmea sem macho
na pradaria. É cear ante um retrato
e uma cadeira vazia em frente.

Isto de amar de longe, só com os olhos,
não é sequer ir à caça. É ir à exposição
de animal de raça. É ver decoração em loja,
olhar por trás da vitrina um feriado que passa.

É coisa de telegrafista ou coisa de mau amador
de rádio, ouvindo só os ruídos
do outro lado da antena e cama.

Não é tocar de ouvido partitura desconhecida,
o músico, nisso, é o contrário, vai mais fundo
pois pega com as mãos e arpeja
a música com os dedos.

E eu tenho essa mania de amar como o invasor
pulando os muros de Roma, como o astronauta
se acolchoando na câmara, como o casulo
se entre-tecendo no claro-e-escuro,
enfim, com a gavinha da barroca parreira
crescendo a sede das vinhas.

Um amar estabanado, como a criança quebrando
o delicado brinquedo e derramando a alma
dos bichos sobre o tapete do medo.

Comigo é assim:

> ficar olhando não basta. Vou logo
> precipitando borrasca e estrela.
> Que se cuide o olhar alheio quando
> olho com o corpo inteiro, porque alojo fácil,
> peço café e pijama, e fico pastando
> com esse olhar de boi manso
> no breve espaço da cama.

# O ANÚNCIO E O AMOR

Uma vez na Alemanha
estando só e carente
me apaixonei por um *poster*
que via diariamente.
Loira mulher sorridente
de maiô, doirada e quente,
e eu ali, ao léu, no frio
passando na sua frente.

– Ai, amor! *meine Lieben! Fraulein!* diaba ardente!
e ela se abrindo em pernas e dentes,
se anunciando nas ruas a se vender
publicamente.

Eu, todas as tardes, num olho a olho,
(o corpo ausente) desfilava rente ao muro
meu desejo adolescente.

– Sou um Romeu pervertido?
– Em que é diferente esse amor
daquele amor voyeurista
de quem ama nos museus
um quadro na sua frente?

– É melhor amar banhistas
de Degas e Cèzanne? a Maya
Desnuda de Goya? a Grande Odalisca

de Ingres? a Olympia de Manet?
– Seria melhor amar sentado
e silente nas salas frias
vendo escorrer nos olhos tristes
as tintas de antigamente?

– Alucinei? tenho febre?
estou tomando gato por lebre?
Já amei modelos nus, atrizes mortas,
fotos de revistas, mas nunca cartaz de rua.
A que ponto chega um homem urbano
posto ante um *poster* moderno?

– Seria melhor entrar na *porno-shop* defronte
e pedir urgente uma mulher mais prática
de borracha intumescente?
– Melhor seria se um pastor
com suas cabras no monte?
– Ou um romântico estudante diante
das heroínas e cartas
de sua amante?
– Amariam Petrarca e Dante
um anúncio de Coca-Cola?
– Comporiam Anacreonte e Safo
uma erótica ode à garota
de maiô da polaroide?

E eu ali solitário comprado
ou vendido inteiramente
oferecendo a varejo e atacado
meu vão amor estocado.

Eis senão quando
tudo muda de repente:
me tiram o cartaz da rua,
me deixam, passante pasmo,
diante do vago e escuro
como planta trepadeira
a quem sonegam seu muro.
Tal a vida, tal o mundo.
Nem mesmo a ilusão dos olhos
a indústria permite a gente.
Querem que eu ame agora
um anúncio de detergente.

E já frustrado cliente
e biodegradado amante
contemplo a espuma da tarde
e vejo que meu amor
    se esvai em pó
     comercialmente.

# AS CARTAS DE MÁRIO
# DE ANDRADE

*para Otto Lara Rezende, que responde*

Mário de Andrade:
 não posso chamar-te amigo.
 Nunca trocamos cartas
 ou um aperto de mão
 Mal aprendia a cartilha
 em Minas
    – e em São Paulo, morrias.
 Morrias sem deixar epístola
 ou sermão para o adolescente
 que carente padecia
 como outros provincianos
 vendo que repartias
 tuas cartas, como um messias
 a escrita da comunhão.

 Não ter te conhecido
 é estar despido e mendigo
 e ver prosperar no umbigo
 a indústria da própria fome.
 Não ter te conhecido
 é ter perdido o melhor filme,
 derramar o melhor prato,
 chegar tarde ao teatro,
 abrir a porta de casa

e ver um morto no quarto.
Não ter te conhecido
é ter vivido no exílio
de tua literatura,
confere com ter nascido
em tempos de ditadura.

Meço a minha tristeza:
que grande autor em ti perderam
a literatura alemã
       – e a francesa,
que voraz leitor em mim perderam
tuas cartas
      – jamais saídas da mesa.

– A que horas escrevia esse homem?
No teclado do piano?
enquanto esperava o bonde?
na moldura futurista?
na canoa do sertão?
no lombo brabo do dia?
no fino talher dos Prado?
na entulhada escrivaninha?

Os homens comprando ações
– e ele escrevendo cartas.
Os homens comprando terras
– e ele escrevendo cartas.
A Bolsa e o tremendo craque
– e ele escrevendo cartas.

Boto jarras na janela,
exponho toalhas, tapetes,
enquanto na rua passa
[– a procissão
dos missivistas de Mário.

Os mais velhos causam inveja
e exibem nacos de cartas,
conselhos do Grande Irmão.

– O que fazem, hoje, na manhã,
sem cartas
              os destinatários
de Mário?
– Tornam-se melhores?
– Ou se quedaram avaros?

– Teria o correio literário
nacional se pervertido
após a morte de Mário?

– Ou acabaram os escribas
missivistas-missionários?

Como nunca me escreveste
me espicho no ombro alheio
lendo as cartas que expedias
para mil correspondentes:

provincianos brasileiros,
argentinos e uruguaios,
europeus e americanos,
talvez algum asiático
e, quem sabe? alguém em Marte?

Lá vou eu, órfão
                — não do morto,
de vivos destinatários.
Aqueles que mal respondem
antes de mim se escondem
num envelope de evasivas.

Mas que bobagem a minha
querer ser amigo de quem
só era amigo de Mário,
derramando em seu correio
minha escrita perdulária,
tentando suprir com eles
o meu falto epistolário.

— Escreviam eles cartas
que dissessem algo a Mário?

_ Ou eram só um pretexto
de espertos correspondentes
coletando selos raros
que expõem no frio armário?

Penso o que se perdeu
nessa não correspondência,
naqueles que como eu
ficaram acenando cartas
depois
          que o trem de Mário partiu.

Pior que mau aluno, discípulo
desperdiçado, bato com a burra
cabeça, não na lombada dos livros
— na caixa postal fechada.

Mas por compulsão escrevo
quer tenha resposta ou não,
há muito que correspondo
com meu próprio imaginário.

Não foi de jeito. Não tive
o mestre que merecia. Sem guia,
não sendo Dante, fico num canto
da sala olhando a estante
por entre as frestas dos livros
na espera que de repente
encontre a carta perdida.

Ah, eu bem conheço
esse logro e outros jogos
de cartas frias no espelho,
onde narciso reflete
as cicatrizes e medos.

Já esperei cartas como um suicida
vendo vazar a vida
        [insone
na espreita que a aurora surja
num envelope de surpresas
e no resgate da morte.

Já me prostei no *hall*,
no portão, como um danado cão
ou ermitão
        – na espera de sinais.

Já esperei bondes, amantes,
prêmios, esperei Buda e Jesus Cristo
sozinho ao pé do monte.

E na madrugada alemã
após beber todo o Reno
num trago de solidão,
escrevo um poema-carta
para o amigo temporão.

Contemplo o branco envelope,
o irrespondível endereço
lá da Rua Lopes Chaves.
Fingindo amizade imensa
invento o pai, o amigo, o irmão
e envio cartas tardias
que um carteiro preguiçoso
jogará em qualquer rio.

P.S.

Aquele que escreve cartas
não apenas cola selos
num envelope de nuvens
lançado sobre o horizonte.
Espera que quem recebe
saiba ler na linha d'agua
a sede do eterno instante
e jorre afeto e resposta
num diálogo de fontes.

# POLÍTICA E PAIXÃO
## (1984)

# A IMPLOSÃO DA MENTIRA
# OU O EPISÓDIO DO RIOCENTRO

## 1

Mentiram-me. Mentiram-me ontem
e hoje mentem novamente. Mentem
de corpo e alma, completamente.
E mentem de maneira tão pungente
que acho que mentem sinceramente.

Mentem, sobretudo, impune/mente.
Não mentem tristes. Alegremente
mentem. Mentem tão nacional/mente
que acham que mentindo história afora
vão enganar a morte eterna/mente.

Mentem. Mentem e calam. Mas suas frases
falam. E desfilam de tal modo nuas
que mesmo um cego pode ver
a verdade em trapos pelas ruas.

Sei que a verdade é difícil
e para alguns é cara e escura.
Mas não se chega à verdade
pela mentira, nem à democracia
pela ditadura.

## 2

Evidente/mente a crer
nos que me mentem
uma flor nasceu em Hiroshima
e em Auschwitz havia um circo
permanente.

Mentem. Mentem caricatural-
mente:

mentem como a careca
mente ao pente,
mentem como a dentadura
mente ao dente,
mentem como a carroça
à besta em frente,
mentem como a doença
ao doente,
mentem clara/mente
como o espelho transparente.

Mentem deslavada/mente,
como nenhuma lavadeira mente
ao ver a nódoa sobre o linho. Mentem
com a cara limpa e nas mãos
o sangue quente. Mentem
ardente/mente como um doente
nos seus instantes de febre. Mentem
fabulosa/mente como o caçador que quer passar
gato por lebre. E nessa trilha de mentira
a caça é que caça o caçador
com a armadilha.

E assim cada qual
mente industrial? mente,
mente partidária? mente,
mente incivil? mente,
mente tropical? mente,
mente incontinente? mente,
mente hereditária? mente,
mente, mente, mente.

E de tanto mentir tão brava/mente
controem um país
de mentira
diária/mente.

### 3

Mentem no passado. E no presente
passam a mentira a limpo. E no futuro
mentem novamente.
Mentem fazendo o sol girar
em torno à terra medieval/mente.
Por isto, desta vez, não é Galileu
quem mente,
mas o tribunal que o julga
herege/mente.

Mentem como se Colombo partindo
do Ocidente para o Oriente
pudesse descobrir de mentira
um continente.

Mentem desde Cabral, em calmaria,
viajando pelo avesso, iludindo a corrente
em curso, transformando a história do país
num acidente de percurso.

4

Tanta mentira assim industriada
me faz partir para o deserto
penitente/mente, ou me exilar
com Mozart musical/mente em harpas
e oboés, como um solista vegetal
que sorve a vida indiferente.

Penso nos animais que nunca mentem,
mesmo se têm um caçador à sua frente.
Penso nos pássaros
cuja verdade do canto nos toca
matinalmente.
Penso nas flores
cuja verdade das cores escorre no mel
silvestremente.

Penso no sol que morre diariamente
jorrando luz, embora
tenha a noite pela frente.

# 5

Página branca onde escrevo. Único espaço
de verdade que me resta. Onde transcrevo
o arroubo, a esperança, e onde tarde
ou cedo deposito meu espanto e medo.
Para tanta mentira só mesmo um poema
explosivo-conotativo
onde o advérbio e o adjetivo não mentem
ao substantivo
e a rima rebenta a frase
numa explosão da verdade.

E a mentira repulsiva
se não explode pra fora
pra dentro explode
          implosiva.

# OS DESAPARECIDOS

De repente, naqueles dias, começaram
a desaparecer pessoas, estranhamente.
Desaparecia-se. Desaparecia-se muito
naqueles dias.

Ia-se colher a flor oferta
e se esvanecia.
Eclipsava-se entre um endereço e outro
ou no táxi que se ia.
Culpado ou não, sumia-se
ao regressar do escritório ou da orgia.
Entre um trago de conhaque
e um aceno de mão, o bebedor sumia.
Evaporava o pai
ao encontro da filha que vão via.
Mães segurando filhos e compras,
gestantes com tricôs ou grupos de estudantes
desapareciam.
Desapareciam amantes em pleno beijo
e médicos em meio à cirurgia.
Mecânicos se diluíam
– mal ligavam o torno do dia.
Desaparecia-se. Desaparecia-se muito
naqueles dias.

Desaparecia-se a olhos vistos
e não era miopia. Desaparecia-se
até a primeira vista. Bastava
que alguém visse um desaparecido
e o desaparecido desaparecia.

Desaparecia o mais conspícuo
e o mais obscuro sumia.
Até deputados e presidentes evanesciam.
Sacerdotes, igualmente, levitando
iam, aerefeitos, constatar no além
como os pecadores partiam

Desaparecia-se. Desaparecia-se muito
naqueles dias.
       Os atores no palco
entre um gesto e outro, e os da plateia
enquanto riam.
       Não, não era fácil
ser poeta naqueles dias.
Porque os poetas, sobretudo
               – desapareciam.

## 2

Se fosse ao tempo da Bíblia, eu diria
que carros de fogo arrebatavam os mais puros
em mística euforia. Não era. É ironia.
E os que estavam perto, em pânico, fingiam
que não viam. Se abstraíam.
Continuavam seu baralho a conversar demências
com o ausente, com se ele estivesse ali sorrindo
com suas roupas e dentes.

Em toda a família à mesa havia
uma cadeira vazia, a qual se dirigiam.
Servia-se comida fria ao extinguido parente
e isto alimentava ficções
                  – nas salas e mentes
enquanto no palácio, remorsos vivos
boiavam
     – na sopa do presidente.

As flores olhando a cena, não compreendiam.
indagavam dos pássaros, que emudeciam.
As janelas das casas, mal podiam crer
– no que não viam.
            As pedras, no entanto,
gravavam os nomes dos fantasmas
pois sabiam que quando chegasse a hora
por serem pedras, falariam.

O desaparecido é como um rio:
– se tem nascente, tem foz.
Se teve corpo, tem ou terá voz.
Não há verme que em sua fome
roa totalmente um nome. O nome
habita as vísceras da fera
como a vítima corrói o algoz.


3

E surgiram sinais precisos
de que os desaparecidos, cansados
de desaparecerem vivos

iam aparecer mesmo mortos
florescendo com seus corpos
a primavera de ossos.

Brotavam troncos de árvore,
rios, insetos e nuvens
em cujo porte se viam
vestígios dos que sumiam.

Os desaparecidos, enfim,
amadureciam sua morte.

Desponta um dia uma tíbia
na crosta fria dos dias
e no subsolo da história
– coberto por duras botas,
faz-se amarga arqueologia.

A natureza, como a história,
segrega memória e vida
e cedo ou tarde desova
a verdade sobre a aurora.

Não há cova funda
que sepulte
           – a rasa covardia.
Não há túmulo que oculte
os frutos da rebeldia.

Cai um dia em desgraça
a mais torpe ditadura
quando os vivos saem à praça
e os mortos, da sepultura.

*A CATEDRAL
DE COLÔNIA
(1985)*

# DE QUE RIEM OS PODEROSOS?

De que riem os poderosos?
tão gordos e melosos?
tão cientes e ociosos?
tão eternos e onerosos?

Por que riem atrozes
como olímpicos algozes,
enfiando em nossos tímpanos
seus alaridos e vozes?

De que ri o sinistro ministro
com sua melosa angústia
e gordurosa fala?
Por que tão eufemístico
exibe um riso político
com seus números e levíticos,
com recursos estatísticos
fingindo gerar o gênesis,
mas criando o apocalipse?

Riem místicos? ou terrenos
riem, com seus mistérios gozosos,
esses que fraudulentos
se assentam flatulentos
em seus misteres gasosos?

Riem sem dó? em dó maior?
ou operísticos gargalham
aos gritos como gralhas
até ter dor no peito,
até dar nó nas tripas
em desrespeito?
Ah, como esse riso de ogre
empesteia de enxofre
o desjejum do pobre.

Riem à tripa forra?
riem só com a boca?
riem sobre a magreza dos súditos
famintos de realeza?
riem na entrada
e riem mais
              – na sobremesa?

Mas se tanto riem juntos
por que choram a sós,
convertendo o eu dos outros
num cordão de tristes nós?

# VAI, ANO VELHO

Vai, ano velho, vai de vez,
vai com tuas dívidas
e dúvidas, vai, dobra a esquina da sorte, e no trinta e um,
à meia-noite, esgota o copo
e a culpa do que nem me lembro
e me cravou entre janeiro e dezembro.

Vai, leva tudo: destroços,
ossos, fotos de presidentes,
beijos de atrizes, enchentes,
secas, suspiros, jornais.
*Vade retrum*, pra trás,
leva pra escuridão
quem me assaltou o carro,
a casa e o coração.
Não quero te ver mais,
só daqui a anos, nos anais,
nas fotos do nunca-mais.

Vem, Ano Novo, vem veloz,
vem em quadrigas, aladas, antigas
ou jatos de luz moderna, vem,
paira, desce, habita em nós,
vem com cavalhadas, folias, reisados,
fitas multicores, rebecas,
vem com uva e mel e desperta

em nosso corpo a alegria,
escancara a alma, a poesia,
e, por um instante, estanca
o verso real, perverso,
e sacia em nós a fome
— de utopia.

Vem na areia da ampulheta como a
semente que contivesse outra semente que contivesse ou-
tra semente ou pérola
na casca da ostra
como se
se
outra se-
mente pudesse
nascer do corpo e mente
ou do umbigo da gente como o ovo
o Sol a gema do Ano Novo que rompesse
a placenta da noite em viva flor luminescente.

Adeus, tristeza: a vida
é uma caixa chinesa
de onde brota a manhã.
Agora
é recomeçar.
A utopia é urgente.
Entre flores de urânio
é permitido sonhar.

# O SUICIDA

O suicídio
não é algo pessoal.
Todo suicida
        nos leva
ao nosso funeral.

O suicida
não é só cruel consigo.
É cruel, como cruel
só sabe ser
        – o melhor amigo.

O suicida
é aquele que pensa
matar seu corpo a sós.
Mas o seu eu se enforca
num cordão de muitos nós.

O suicida
não se mata em nossas costas.
Mata-se em nossa frente,
usando seu próprio corpo
dentro de nossa mente.

O suicida
não é o operário.
É o próprio industrial, em greve.

É o patrão
que vai aonde
o operário não se atreve.

Todo homem é mortal.
Mas alguns, mais que outros,
fazem da morte
       – um ritual.

O suicida, por exemplo,
é um vivo acidental.
É o general
que se equivocou de inimigo
e cravou sua espada
na raiz do próprio umbigo.
Mais que o espectador
que saiu no entreato,
o suicida
       é um ator
que questionou o teatro.

O suicida
é um retratista
que às claras se revela.
Ao expor seu negativo.
queima o retrato
       – e se vela.

O suicida, enfim,
é um poeta perverso
e original
que interrompeu seu poema
antes do ponto final.

# SOBRE CERTAS DIFICULDADES ATUAIS

Não está nada fácil ser poeta nestes dias.

Não falo da venda de livros de poesia
– que se poesia é isso que aí está,
o público tem razão.
                    – nem eu mesmo compraria.

De um lado,
        um bando de narcisos desunidos,
        ressentidos,
        com vocação noturna de suicidas,
de outro,
        os generais com seus suplícios
        pensando que comandam os industriais,
        que, comandados,
                    comandam os generais
        de que precisam.

Não,
não está nada fácil ser poeta nestes dias.
Seja
        palestino,
        libanês,
        argentino,

chileno,
sul-africano,
ou irlandês,
não está nada fácil ser poeta nestes dias.

Sem dúvida, é mais fácil e inútil
ser poeta americano e francês,
com muito sanduíche e vinhos
e muito prazer burguês.

Não,
não é nada fácil ser poeta índio nestes dias.
Tão difícil quanto ser poeta polonês e afegão.
Não, não é nada fácil
ser um poeta, dividido, alemão.

Na Rússia, talvez haja poeta proletário
contente com o recalcado medo
e seu profissional salário.
De qualquer jeito
nunca foi fácil ser poeta
num regime autoritário.

Não está nada fácil ser poeta nestes dias.
Não está nada fácil ser poeta noite e dia.
Não está nada fácil ser poeta da alegria.
Não,
não está nada fácil ser poeta
                              e brasileiro
nestes dias.

(1985)

# O TORTURADO E SEU TORTURADOR

Apanhado em meio à noite,
jogado ao chão da cela,
o corpo nu conhece
a primeira humilhação.
Outras virão: o soco,
o choque, a ameaça,
o urro na escuridão.

– Quantos *volts*
suporta um corpo
           – em coação,
até que dele escorra o fel
da delação?

– O que procura o tortura/dor
nas pedras do rim alheio
como vil minera/dor?
– O que ama esse ama/dor
da morte?
         esse morcego suga/dor
sob os porões da corte?
         esse joga/dor
do jogo bruto
         e cria/dor do luto?

O tortura/dor se sente, e acaso o é,
um trabalha/dor diferente:
seu trabalho é destruir
o sonha/dor insistente,
como o médico que resolvesse
matar de dor
        – o cliente.

Sob a tortura
o que há de melhor no homem
jamais se manifesta. Quando muito
podeis catar no chão
o pouco que dele resta.
Mas soltai-o em festa, ao sol,
e vereis que a verdade
de seus gestos se irradia.
Livre,
        vestindo a pele do dia,
o torturado caminha
com seu corpo tatuado
de violência e poesia.

Mas ele não marcha só.
Apenas segue na frente
na direção da utopia.

# EPPUR SI MUOVE

*para Leonardo e Clodovis Boff*
*censurados pelo Vaticano*

Não se pode calar um homem.
Tirem-lhe a voz, restará o nome.
Tirem-lhe o nome
e em nossa boca restará
a sua antiga fome.

Matar, sim, se pode.
Se pode matar um homem.
Mas sua voz, como os peixes,
nada contra a corrente
a procriar verdades novas
na direção contrária à foz.

Mente quem fala que quem cala consente.
Quem cala, às vezes, re-sente.
Por trás dos muros dos dentes,
edifica-se um discurso transparente.

Um homem não se cala
com um tiro ou mordaça. A ameaça
só faz falar nele
o que nele está latente.

Ninguém cala ninguém,
pois existe o inconsciente.
Só se deixa enganar assim
quem age medievalmente.

Como se faz para calar o vento
quando ele sopra
com a força do pensamento?
Não se pode cassar a palavra a um homem,
como se caçam às feras o pelo e o chifre
na emboscada das savanas.
Não se pode, como a um pássaro,
aprisionar a voz humana.
A gaiola só é prisão
para quem não entende
a liberdade do não.
Se a palavra é uma chave,
que fala de prisão, o silêncio
é uma ave
    – que canta na escuridão.

A ausência da voz
é, mesmo assim, um discurso.
É como um rio vazio, cujas margens sem água
dão notícia de seu curso.

No princípio era o Verbo
– bem se pode interpretar:
no princípio era o Verbo
e o Verbo do silêncio
só fazia verberar.
Na verdade, na verdade vos digo:

mais perturbador que a fala do sábio
é seu sábio silêncio,
con-sentido.

O que fazer de um discurso interrompido?
Hibernou? Secou na boca, contido?
Ah, o silêncio é um discurso invertido,
modo de falar alto
— o proibido.

O silêncio
depois da fala
não é mais inteiro.
Passa a ter duplo sentido.
É como o fruto proibido, comido
não pela boca,
mas pela fome do ouvido.

Se um silêncio é demais,
quando é de dois, geminado,
mais que silêncio
— é perigo,
é uma forma de ruído.

Por isto que o silêncio
da consciência,
quando passa a ser ouvido
não é silêncio
— é estampido.

# POLONAISE EM FORMA DE CRUZ

Solidário
Solitário
o operário
polonês
olha a história na cara
e descobre o adversário.

Solidário
Solitário
o operário
polonês
para a ditadura no tempo
e refaz seu calendário.

Solidário
Solitário
o operário
polonês
descobre a diferença
entre a ordem e o ordinário.

Solidário
Solitário
o operário
polonês
irrompe em cena aberta
e reconstrói o cenário.

Solidário
Solitário
o operário
polonês
recusa o discurso alheio
e reinventa o dicionário.

Solidário
Solitário
o operário
polonês
recompõe o seu presente
entre o eterno e o precário.

Solidário
Solitário
o operário
polonês
semeia em cruz suas flores
e crava em nós seu calvário.

# NUM HOTEL

Quando ela – a fêmea,
apareceu na borda da piscina,
nós – os machos,
nos alvoroçamos todos.

Agitaram-se as galhadas de chifres
em nossas testas
e nossos cascos golpearam
os azulejos da floresta.

Ali
      a fêmea exposta
com sua pele e pelo
sob as folhas do maiô.

Aqui
        os machos tensos
eriçando copos e frases
em ostensiva atitude
de animal cobridor.

Tudo, então, se fez em ritual:
o desejo desbordou
dos poros da piscina
preenchendo o azul vazio,
enquanto os corpos e objetos
se farejavam no ar verde
seguindo
o cheiro morno do cio.

# BANDEIRA, TALVEZ

Como são belas as mulheres!

Pensei
    que me casando com uma delas
    penetraria de vez esse mistério
    entre seus cabelos e pernas.

Engano. Minha mulher me abre a porta
de seu corpo
        e me abisma
num labirinto de espelhos.

E é tão diversa e sedutora,
que eu a traio nela mesma
num sucessivo adultério.

Inútil pensar que é do verão,
        da moda,
        da nudez
jogada sobre as praias
ou do inverno
        na tepidez dos pelos.

Na verdade, desde o tempo dos sumérios
me extasio
ante o aliciante mistério das mulheres.
Por isso posso contemplá-las toda a vida
ou seis mil anos,
                    – sem fadiga.
A beleza é um grito,
           é um fruto,
a beleza é um vício
           é um mergulho vivo
                    – no infinito.

# IRONIA CANIBAL

Pelas minhas contas, devo
ter comido, até hoje, 4.237 frangos e galinhas,
22 bois
e exaurido um pequeno lago de lulas,
                              trutas,
                              ostras,
                              lagostas
                              e sardinhas.

Passarinhos, jamais.
Só em terrinas, e, mesmo assim, na França.
Vegetariano e feminista eu sou, contudo.
Por isto, em festa ou mudo,
comi também 69 mulheres
                              – com pena e tudo.

# O HOMEM E A MORTE

O homem é um animal que enterra seus mortos
ambiguamente. Os animais
deixam seus pares apodrecerem
à calcinada luz do Sol
e elaboram à luz da Lua
                                    o luto
de suas plumas e pelos.

Os homens, não. Ambiguamente
enterram os ossos alheios
na medula de seus sonhos.

Por isso
são sepulcros deambulantes
com sempre-vivas nos olhos
exalando suspiros
                          exalando remorsos.

# O ÚLTIMO TANGO NAS MALVINAS

Os homens amam a guerra. Por isso
se armam festivos em coro e cores
para o dúbio esporte da morte.

Amam e não disfarçam.
Alardeiam esse amor nas praças,
criam manuais e escolas,
alçando bandeiras e recolhendo caixões,
entoando *slogans* e sepultando canções.

Os homens amam a guerra. Mas não a amam
só com a coragem do atleta
e a empáfia militar, mas com a piedosa
voz do sacerdote, que antes do combate
serve a hóstia da morte.

Foi assim na Crimeia e Troia,
    na Eritreia e Angola,
    na Mongólia e Argélia,
    na Sibéria e agora.

Os homens amam a guerra
e mal suportam a paz.

Os homens amam a guerra,
portanto,
não há perigo de paz.

Os homens amam a guerra, profana
ou santa, tanto faz.
Os homens têm a guerra como amante,
embora esposem a paz.

E que arroubos, meu Deus! nesse encontro voraz!
que prazeres! que uivos! que ais!
que sublimes perversões urdidas
na mortalha dos lençóis, lambuzando
a cama ou campo de batalha.

Durante séculos pensei
que a guerra fosse o desvio
e a paz a rota. Enganei-me. São paralelas,
margens de um mesmo rio, a mão e a luva,
o pé e a bota. Mais que gêmeas,
são xifópagas, par e ímpar, sorte e azar.
São o ouroboro – cobra circular
eternamente a nos devorar.

A guerra não é um entreato.
É parte do espetáculo. E não é tragédia apenas,
é comédia, real ou popular,
é algo melhor que circo:
    – é onde o alegre trapezista
    vestido de *kamikase*
    salta sem rede e suporte,
    quebram-se todos os pratos
    e o contorcionista se parte
    no *kamasutra* da morte.

A guerra não é o avesso da paz.
É seu berço e seio complementar.
E o horror não é o inverso do belo
– é seu par. Os homens amam o belo,
mas gostam do horror na arte. O horror
não é escuro, é a contraparte da luz.
Lúcifer é Lusbel, brilha como Gabriel
e o terror seduz.
                    Nada mais sedutor
que Cristo morto na cruz.

Portanto, a guerra não é só missa
que oficia o padre, ciência
que alucina o sábio, esporte
que fascina o forte. A guerra é arte.
E com o ardor dos vanguardistas
frequentamos a bienal do horror
e inauguramos a Bauhaus da morte.

Por isso, em cima da carniça não há urubu,
chacais, abutres, hienas.
Há lindas garças de alumínio, serenas
num eletrônico balé.

Talvez fosse a dança da morte, patética.
Não é. É apenas outra lição de estética.
Daí que os soldados modernos
são como médico e engenheiro
e nenhum ministro da guerra
usa roupa de açougueiro.

Guerra é guerra
       dizia o invasor violento
       violentando a freira no convento.
Guerra é guerra
       dizia a estátua do almirante
       com sua boca de cimento.
Guerra é guerra
       dizemos no radar
       degustando o inimigo
       ao norte do paladar.

Não é preciso disfarçar
o amor à guerra, com história de amor à Pátria
e defesa do lar. Amamos a guerra
e a paz, em bigamia exemplar.
Eu, poeta moderno ou o eterno Baudelaire,
eu e você, *hypocrite lecteur*,
*mon semblable, mon frère.*
Queremos a batalha, aviões em chamas,
navios afundando, o espetacular confronto.

De manhã abrimos vísceras de peixes
com a ponta das baionetas
e ao som da culinária trombeta
enfiamos adagas em nossos porcos
e requintamos de medalha
       – os mortos sobre a mesa.

Se possível, a carne limpa, sem sangue.
Que o míssil silente lançado a distância
não respingue em nossa roupa.
Mas se for preciso um "banho de sangue"
– como dizia Terêncio: "Sou humano
e nada do que é humano me é estranho".

A morte e a guerra
    não mais me pegam ao acaso.
    Inscrevo sua dupla efígie na pedra
    como se o dado de minha sorte
    já não rolasse ao azar.
    Como se passasse do branco
    ao preto e ao branco retornasse
    sem nunca me sombrear.
Que venha a guerra. Cruel. Total.
O atômico clarim e a gênese do fim.
Cauto, como convém aos sábios,
primeiro bradarei contra esse fato.

Mas, voraz como convém à espécie,
ao ver que invadem meus quintais
das folhas da bananeira inventarei
a ideológica bandeira e explodirei
o corpo do inimigo antes que ataque.
E se ele não atirar nem viver, aproveito
seu descuido de homem fraco, invado sua casa
realizando minha fome milenar de canibal
rugindo sob a máscara de homem.

– Terrível é o teu discurso, poeta!
escuto alguém falar.
    Terrível o foi elaborar.
    Agora me sinto livre.
    A morte e a guerra
    já não me podem alarmar.
    Como Édipo perplexo
    decifrei-as em minhas vísceras
    antes que a dúbia esfinge
    pudesse me devorar

Nem cínico nem triste. Animal
humano, vou em marcha, danças, preces
para o grande carnaval.
Soldado, penitente, poeta,
– a paz e a guerra, a vida e a morte
me aguardam
                    – num atômico funeral.

– Acabará a espécie humana sobre a Terra?
Não. Hão de sobrar num novo Adão e Eva
a refazer o amor, e dois irmãos:
– Caim e Abel
                    – a reinventar a guerra

# HOMENAGEM AO ITABIRANO

Teu aniversário, Poeta, no escuro
não se comemora. Antes, se celebra
no *claro enigma* das horas.

Tentas nos fugir. Em vão.
Tua poesia nos persegue
e revertida te alcança
como o sonho persegue
o sonhador fujão.

Podes te alojar – barroco e torto –
dentro de um santo de pau oco,
como aqueles que, em Minas,
ocultam a riqueza clandestina
de seu dono. Podes fingir
a indiferença do corpo
quando se refugia no sono.

Podes partir para Buenos Aires
                    Bombaim
                    ou Tapajós.
Não te deixaremos a sós,
pois ensinaste ao leitor mudo
a emoção da própria voz.

Independente de ti,
na luz renascente do dia,
como tua poesia, teu aniversário
se irradia. Neste dia
não há vanguarda e academia,
prosa e poesia, nem à direita
e à esquerda, ideologia.
Teus versos se instalaram
nas dobras dos lençóis e cartas,
se infiltraram nos jornais,
viraram *slogans*, provérbios
e senhas matinais.
Não há quem te não saiba de cor.
A abelha de teus versos
segrega em nós o nosso mel melhor.

Hoje o jornaleiro
entregará na esquina
um jornal mais leve e limpo
onde a poesia abre espaço
nas guerras do dia a dia.
O porteiro de teu prédio
amanhecerá engalanado
como guarda da rainha,
protegendo-te do assédio
de quem quer te ver de perto.

O carteiro de tua rua
qual Hércules moderno
trará pacotes, malotes
e pirâmides de afeto.

Certo, hoje não sairás à beira-mar, puro recato.
Mas as ondas, sabidas, guardarão para amanhã
as cabriolas e saltos, que brincalhonas
darão à tua passagem
                – no calçadão da avenida.

Quando nasceu o poeta? Em 1902?
No ontem de Itabira? Ou depois
que *alguma poesia* se iluminou
em *reunião* e epifania?
Como nasceu o poeta? Antes
do primeiro poema, quando ele ardia
a dor do mundo sozinho? Ou no dia
da primeira topada da crítica
com a "pedra no meio do caminho"?

Quem é esse poeta ambíguo e exilado
no umbigo do grande mundo
como um avesso Crusoé?
Qual a sua melhor máscara?
A de Carlos? O elefante de paina?
A letra K? Ou o absurdo José?

Ah, drummontanhosa criatura,
difícil esfinge de orgulho e ferro,
ostra enrodilhada no inexistente mar de Minas.

Pena que não te veja teu pai,
nesta hora nacional. Imagino-o
chegando de chapéu, com as botas dos currais
e encontrando na sala da fazenda
essa multidão de brasileiros

a louvar o filho *gauche*
– franzino e tímido –
        num canto do salão.

Poeta, pai involuntário
de tantos poetas voluntários.
Teus descendentes literários te saúdam
e te beijam vivo
com aquele amor, que, em Minas, contido,
só se exibe diante do morto, no imaginário.

Não podemos esperar que partas em ausências
para te amar melhor. Nosso amor
se ilumina à luz de tua presença.

O amor, como a poesia, tem urgências.
Te amamos e não te ocultamos nosso gesto.
Te amamos como indivíduo – sozinhos e discretos
ou como um grande país
        – com alarde e afeto.

# O LEITOR E A POESIA

Poesia
    não é o que o autor nomeia,
    é o que o leitor incendeia.

    Não é o que o autor pavoneia,
    é o que o leitor colhe à colmeia.

    Não é o ouro na veia,
    é o que vem na bateia.
Poesia
    não é o que o autor dá na ceia,
    mas o que o leitor banqueteia.

# A CATEDRAL DE COLÔNIA
## (A catedral inconclusa – final)

Se ao carnaval segue a Quaresma
e à Quaresma segue a Páscoa
e a cinza segue à chama, e segue à chama
a fumaça
      não há por que temer ou perguntar:
        – onde o começo?
        – onde o desfecho?
        – o que é espaço europeu?
        – ou lembrança brasileira?
        – o que é meu corpo no horto
        – e a ressurreição costumeira?

Quanto mais contemplo a catedral
        menor
        e mais menino
        vou regredindo.
        Pareço Alice caindo
        numa armadilha de espelhos
        ou alguém que de repente
        sai do útero da pedra
        explode o verso em cachoeiras
        numa sucessão de quedas.

"Necessário vos é nascer de novo"
        brada do púlpito
        o sacerdote-analista.

E sobre o divã do que digo
retomando ao próprio umbigo
        eu cismo
temendo que o leitor turista
       não resista
       ou caia
       de um dos andaimes
       deste poema
          em abismo.

Olho essa catedral como a um quadro do Velho Bruegel.
Aquela imensa Batalha do Carnaval e da Quaresma
tragicômica peleja
       entre detritos-porcos-ovos-copos-
            [dados
       e jogos sem contar os corpos tortos,
       todas as agulhas e destroços,
       todos os cacos de nossa moderna arte
       num vitral de sonho e ossos.

       E se é quadro, a Catedral
       é a Queda dos Anjos Rebeldes
       do mesmo Bruegel, a sua Ida
       ao Calvário
           – e o Triunfo da Morte.
       Se é quadro, a Catedral
       também é Goya: Saturno
       devorando os Filhos.
       Fuzilamento no escuro,
       mais a cabeça de Cristo
       brotando, ao redor, espinhos
       num quadro de Grünewald.
       Se é quadro, é Rubens

é A Queda dos Condenados
e a cachoeira de corpos
caindo no vão da História.

Olho esta Catedral com o mesmo espanto
ao descobrir na minha frente o quadro detalhista e
[esmagador
que Altdorffer pintou pra sempre nos meus olhos:
é a Batalha de Alexandre
com miríades de soldados persas, gregos e
[macedônios
em onda cósmica lutando, como se anjos,
como se homens, como se insetos pelejando
na superfície do abismo, num oceano de lanças
e espadas e revoltas crinas de cavalos.

Nunca mais posso sair da Alt Pinakotek de Munique.
Nunca mais posso escapar da Catedral de Colônia.
Penetram-me os vitrais da pele
a transcendente luz que envolve o rosto
das pinturas dos flamengos.
Agora entendo
o que tanto leem em suas cartas
os personagens dos quadros de Vermeer.
Agora
sinto o desespero claro de Van Gogh
no amarelo de mil sóis
girando nos vitrais da igreja.

Não sei por quanto tempo vou ficar perdido
no museu do mundo, vagando ao lado da Catedral,
na Ludwig Collection, moderna e medieval,
onde o lixo industrial americano se derrama

em pias de pano de Oldemburg, quadrinhos de
[Liechtenstein,
conchas da *Shell*, sopas *Campbell* de Andy Warhol,
arte pop, op, rica, pobre, snob, acrílica ironia
pós-moderna exposta em gás neon na sala fria.

É nisto que deu o cisma renascentista,
luterano,
industrial,
capitalista?
num entulho
que entristece a alma
e tolhe a vista?

Miguel Ângelo passou a vida toda esculpindo a tumba
[de um Papa.
Penélope tecia e destecia os fios na espera da alvorada.
E o personagem de Kafka fenecia
ante a porta do castelo para ele aberta todavia.

Nenhuma obra de arte, no entanto,
resgata o sangue da tarde.
Nenhuma obra de arte distante
vale a vida que em mim arde.

– Sou o pintor impressionista ante a Catedral de Rouen?
a cada hora do dia pintando a cor da pedra
na tela do vário instante?
– Sou o ambicioso arquiteto da Catedral de Lübeck
que, senil, inscreveu do chão ao teto
o calendário
até o ano dois mil?

– Ou um Milton protestante versificando o tormento
do Perdido Paraíso
            um poeta arquitetando
            pedras sem fundamento?

Os antigos erguiam igrejas e cidades
seguindo a linha dos astros.
Deus – o arquiteto, desenrolava os projetos
ante as barbas do profeta
e os fiéis levantam na terra
                        o simulacro do céu.
Assim surgiam palácios, fortalezas, dinastias,
até que seguindo a Ursa Maior, Arcturo e Touro
erguemos mansões e bancos já ulcerados de ouro.

Os antigos imaginavam montanhas e pirâmides
que fossem o centro do mundo, exatamente
como os modernos a contemplar no acrílico da sala
o próprio umbigo.
Ah, se o poeta pudesse desencadear as águas fecundantes
e edificar as pedras com a saliva de seu canto,
e refazer a Catedral de Tebas
com flauta e dança em vez de pranto!

Já nem sei quando foi que comecei a catedral desse
                                    [poema,
o que cresceu nessas paredes, o que se enterrou
nos meus versos, que sermões preguei, se armei
                                    [quermesses
tantas vezes parei, tantas recomecei,
tantas paguei promessas.

Nas igrejas de minha infância
sempre havia campanha para erguer um templo novo.
                                                    [Também
nesse paroquial poema, há anos colho ofertas, doações
faço campanhas e coletas
inscrevendo o doador num grande livro de ouro e dor.

– Como posso eu, protestante,
num e/ gótico poema
descrever a igreja nova
que nasce da velha fênix?

Não posso viver 600 anos
                    para ver sua conclusão.
Não posso esperar tanto tempo
                    pela minha salvação.
É preciso que o poema saia logo
                    das covas de minha mão.
Tenho urgências, chove fogo e mágoa nos escombros.
                    Um dia, para mim, já são mil anos,
e cai enxofre atômico em meus ombros.

                    Mas, posto que o tempo é morte
                    e vida em movimento, e o poema
                                        [é o nada
                    e o tudo em complemento, não posso
                    cortar das coisas
                                        seu normal
                                        [renascimento.

Este poema, como a Catedral, começa e recomeça a cada pedra, a cada bomba, a cada
verso ou boca aflita e aberta, recomeça
entre pestes negras e rezas brandas

e estampidos de sangue que escorrem
sobre as têmporas dos crentes.
E estou começando a construir, re-
construir, compreender, desaprender.
Um dia chegarei à praça, à torre.
Começo a compreender. O quê?
Não sei. Começo a dissipar o porquê.

Por isto, reconheço
que a Catedral de Colônia
é o recomeço da pedra,
é a trégua, é a guerra,
é o texto do poeta
e pedra que me arquiteta.
A Catedral de Colônia
é o metro por onde meço
o fracasso do arremesso
na olimpíada do verso.
A Catedral de Colônia
é o hieroglifo do tempo,
machado paleolítico,
minha pedra de Roseta,
sigla num muro sujo,
desenho primal rupestre,
pintura na pele índia,
mais que pedra é a cinza,
é a fênix renascida,
o nosso eterno retorno,
o meu tardio começo
a vida dentro da morte
e a morte gerando a vida.

(Köln-1978/Rio-1985)

# O LADO ESQUERDO
DO MEU PEITO
(1992)

# ASSOMBROS

Às vezes, pequenos grandes terremotos
ocorrem do lado esquerdo do meu peito.

Fora, não se dão conta os desatentos.

Entre a aorta e a omoplata rolam
alquebrados sentimentos.

Entre as vértebras e as costelas
há vários esmagamentos.

Os mais íntimos
já me viram remexendo escombros.
Em mim há algo imóvel e soterrado
em permanente assombro.

# ERRANDO NO MUSEU PICASSO

Picasso
    erra
       quando pinta
      e erra
        quando ama.

Mas quando erra,
        erra
violenta e
generosamente,
      erra
com exuberante
arrogância,
     erra
como o touro erra
seu papel de vítima,
sangrando
quem, por muito amar, fere
e sai ovacionado
com bandeirilhas na carne.

Pintor do excesso
                e exuberância,
Picasso
        é extravagância.
Ele erra,
        mas nele,
                o erro
mais que erro
        – é errância.

# PEQUENOS ASSASSINATOS

Vegetariano
    não dispenso chorar
sobre os legumes esquartejados
no meu prato.

Tomates sangram em minha boca,
alfaces desmaiam ao molho de limão-mostarda-azeite,
cebolas soluçam sobre a pia
e ouço o grito das batatas fritas.

Como.
Como um selvagem, como.
Como tapando o ouvido, fechando os olhos,
distraindo, na paisagem, o paladar,
com a displicente volúpia
de quem mata para viver.

Na sobremesa
continua o verde desespero:
peras degoladas,
figos desventrados
e eu chupando o cérebro
amarelo das mangas.

Isto cá fora. Pois lá dentro
sob a pele, uma intestina disputa
me alimenta: ouço o lamento
de milhões de bactérias
que o lançachamas dos antibióticos
exaspera.

Por onde vou é luto e luta.

# CONJUGAÇÃO

Eu falo
tu ouves
ele cala.

Eu procuro
tu indagas
ele esconde.

Eu planto
tu adubas
ele colhe.

Eu ajunto
tu conservas
ele rouba.

Eu defendo
tu combates
ele entrega.

Eu canto
tu calas
ele vaia.

Eu escrevo
tu me lês
ele apaga.

# REFLEXIVO

O que não escrevi, calou-me.
O que não fiz, partiu-me.
O que não senti, doeu-se.
O que não vivi, morreu-se.
O que adiei, adeus-se.

# EPITÁFIO PARA O SÉCULO XX

1.  Aqui jaz um século
onde houve duas ou três guerras
mundiais e milhares
de outras pequenas
e igualmente bestiais.

2.  Aqui jaz um século
onde se acreditou
que estar à esquerda
ou à direita
eram questões centrais.

3.  Aqui jaz um século
que quase se esvaiu
na nuvem atômica.
Salvaram-no o acaso
e os pacifistas
com sua homeopática
atitude
          – *nux-vômica.*

4.  Aqui jaz o século
que um muro dividiu.
Um século de concreto
armado, canceroso,
drogado, empestado,

que enfim sobreviveu
às bactérias que pariu.

5. Aqui jaz um século
que se abismou
com as estrelas
nas telas
e que o suicídio
de supernovas
contemplou.
Um século filmado
que o vento levou.

6. Aqui jaz um século
semiótico e despótico,
que se pensou dialético
e foi patético e aidético.
Um século que decretou
a morte de Deus,
a morte da história,
a morte do homem,
em que se pisou na Lua
e se morreu de fome.

7. Aqui jaz um século
que opondo classe a classe
quase se desclassificou.
Século cheio de anátemas
e antenas, sibérias e gestapos
e ideológicas safenas;
século tecnicolor
que tudo transplantou

e o branco, do negro,
a custo aproximou.

8.  Aqui jaz um século
que se deitou no divã.
Século narciso & esquizo,
que não pôde computar
seus neologismos.
Século vanguardista,
marxista, guerrilheiro,
terrorista, freudiano,
proustiano, joyciano,
borges-kafkiano.
Século de utopias e *hippies*
que caberiam num chip.

9.  Aqui jaz um século
que se chamou moderno
e olhando presunçoso
o passado e o futuro
julgou-se eterno;
século que de si
fez tanto alarde
e, no entanto,
                    – já vai tarde.

10. Foi duro atravessá-lo.
Muitas vezes morri, outras
quis regressar ao 18
ou 16, pular ao 21,
sair daqui
para o lugar nenhum.

11. Tende piedade de nós, ó vós
que em outros tempos nos julgais
da confortável galáxia
em que irônicos estais.
Tende piedade de nós
– modernos medievais –
tende piedade como Villon
e Brecht por minha voz
de novo imploram. Piedade
dos que viveram neste século
*per seculae seculorum.*

# ESCRITA IMPREVISÍVEL

Estamos escrevendo todos dentro do previsível.

Um trabalha a forma,
outro solta o texto
num exercício de autoestupefação,
alguns conferem tudo
com teorias da moda,
outros aplicam mais tempo
na imagem que na obra.

Estamos todos escrevendo dentro do previsível.

Segue a vida literária:
cada um polindo seu nome de autor
quando, de repente,
não se sabe de onde, como, nem por quê
irrompe o texto inovador,
sagrado e transgressor,
que nos resgata
com olímpico fulgor.

O texto que torna o texto alheio
um punhado de palha
ungida
　　　– com inútil suor.

# BANDEIRA REVISITADO

Quando adolescente, lendo Manuel Bandeira,
me irritava que sempre repetisse:

"cai a tarde"
        "põe-se o dia"

Isto é coisa de poeta passadista, eu me dizia.

Estou nesta janela há meia hora, com um copo
de beleza e espanto
                contemplando
essa tarde de morrente eternidade, e digo:

"cai a tarde", "põe-se o dia"
                        caindo
tardiamente
        em fragorosa repetição.

Devo ser um poeta passadista.
Se o for, será minha salvação.

# APRENDIZADO

Estou aprendendo a enterrar amigos,
corpos conhecidos, e começo as lições
de enterrar alguns tipos de esperança.

Ainda hoje
sepultei um braço e um desejo de vingança.

Ontem, fui mais fundo:
sepultei a tíbia esquerda
e apaguei três nomes da lembrança.

# TEXTAMENTOS
## (1999)

# ALÉM DO ENTENDIMENTO

A essa altura
há coisas
que (ainda)
não entendo.

Por exemplo:
o amor. Faz tempo
que diante dele
me desoriento.

O amor é intempestivo
eu sou lento.
Quando ele sopra
– estatelado –
mais pareço
um catavento.

# NOVO GÊNESIS

No primeiro dia
o Demônio criou o universo e tudo o que nele há
e viu que era bom.

No segundo dia
criou a cobiça, a usura, a inveja, a gula, a preguiça, a
[soberba, a ira
a que chamou de sete virtudes capitais
e viu que era bom.

No terceiro dia criou as guerras.
No quarto dia criou as epidemias.
No quinto dia criou a opressão.
No sexto dia criou a mentira
e no sétimo dia, quando ia descansar,
houve uma rebelião na hierarquia dos anjos
e um deles, de nome Deus,
quis reverter a ordem geral das coisas,
mas foi exilado
na pior parte do Inferno – os Céus.

Desde então
o Demônio e suas hostes continuam firmes
na condução dos negócios universais,
embora volta e meia um serafim, um querubim
e algum filho de Deus, desencadeiem protestos,
[milagres, revoluções
querendo impingir o Bem onde há o Mal.
Porém não têm tido muito êxito até agora,
exceto em alguns casos particulares
que não alteraram em nada a marcha geral da história.

# IN ILLO TEMPORE

Havia uma certa ordem naquele tempo.
Sendo verão, chovia às quatro da tarde.
Os pássaros pousavam nos galhos
cantando cada qual sua canção.

É verdade que cães e gatos
continuam obedecendo às nossas ordens
às vezes absurdas
e alguns deitam-se aos nossos pés
e beijam nossas mãos.

Mas havia uma certa ordem naquele tempo.
Um quadrado era perfeito
e um triângulo de três lados
podia chegar à perfeição.

# VELHICE ERÓTICA

Estou vivendo a glória de meu sexo
a dois passos do crepúsculo.

Deus não se escandaliza com isto.

O júbilo maduro da carne
me enternece.
Envelheço, sim. E
(ocultamente)
                    resplandeço.

# MUDAM-SE OS TEMPOS

Estão, de novo, mudando o mundo
sem minha permissão
(embora a cumplicidade obrigatória).

Expulsam as raposas e castores de suas tocas
e trocam de endereço as oliveiras.

Há muito já obrigavam os pássaros a portar gravatas
e forçavam os peixes a nadar de costas.

Ontem de manhã arredondaram o último quadrado
e hoje à meia-noite
prometem aprisionar a fugitiva elipse.

# A BELA DO AVIÃO

Mereço tocar em teus cabelos,
loira e anelada mulher
que não me conheces
e estás sentada a dois metros de mim neste avião.
Te contemplo com intimidade. Sei
teus contornos e perfumes.
Reclinas teu assento para dormir
e fechados os olhos viajas
para alguém que te espera, ou não,
sem saber que eu merecia tocar em teus cabelos,
em tua boca perfeita,
teu sublime nariz,
sem saber que conheço teu corpo
com uma intimidade absoluta.
Estou te vendo, com extremado pudor,
em peças íntimas no quarto,
sei da ponta de teus seios
e do grito que lanças ao gozar.

Como deve ser importuno
carregar continuamente
essa beleza
publicamente cobiçada!

Poderia te falar
mas te sentirias imediatamente punida
por seres linda.

Vai, colhe poemas, cobiças e suspiros
à tua passagem,
pois carregas o fastio da beleza
esse ornamento difícil de ostentar.

Nunca saberás que um poeta
assim te contemplou.
Nunca saberás que estás aqui descrita.

Nunca poderás te valer destes meus versos,
quando, sendo bela, chorares como as feias
e aviltada quiseres morrer
na hora da traição.

# ESCLEROSE AMOROSA

O que fazíamos no leito?
De tua voz já nem me lembro.
Tuas pernas dissolvem-se na neblina.
Havia uivos de gozo?
Nem dos seios sei exatamente.

O que eu fazia? O que fazias?
Ah! uma vaga lembrança
a que nem amor eu chamaria.
No entanto, parece que eu sofria.
Sofria?
Já não me lembro por que sofria.

# MORTE DO VIZINHO

Meu vizinho acaba de se jogar do 15º andar
e seu corpo caiu no *play-ground*
nesta ensolarada manhã de verão.

Estava com depressão, dizem.
Vi-o algumas vezes de bermuda no corredor.
Sei que escrevia sobre Freud.

Seu corpo ainda está lá em baixo.
Se eu tivesse ido à janela há pouco
o teria surpreendido em pleno voo
e lhe estendido a mão.

Estendo-lhe, tardio, o poema
que não interrompe a queda
mas é o gesto possível que antecede o baque.

# RISTORANTE ETRURIA

Essa bela garçonete etrusca
com esse nariz imponente navegando
entre as mesas do restaurante;

essa bela garçonete etrusca
com esse nariz portentoso
como enfunadas velas na direção da Grécia;

essa bela garçonete etrusca
passa para cá, para lá
ocupada em seu trabalho,

e não sabe que a contemplo
há 25 séculos atrás.

# MAIS BELEZA, SENHOR

Tio Lemos, humilde servo e pastor,
em sua vida tão despossuída
inda dizia: – Chega de bênção, Senhor!

Na Toscana, neste azul outonal
banqueteando com o corpo e o espírito
sorvendo a glória artística dos santos
quase chego a dizer: – Chega de bênção, Senhor!

Porém, minha alma insaciável
parece nunca se bastar, e implora:
– Mais beleza, mais beleza, Senhor!

E o Senhor impaciente, ordena:
– Entra nesta igreja de Orvieto
e ante os afrescos de Lucca Signorelli
ajoelha e chora.

# O PAI

Procuro em meus papéis,
nos baús familiares
um perdido testamento.

Encontro cartas, provérbios em Esperanto,
pensamentos de Raumsol e a caligrafia de meu pai.
Homem de fé, rezava nos cemitérios.
Expulsou demônios em Uberlândia
e alta madrugada enfrentou o diabo
cara a cara em Carangola.

Nenhum dos filhos a tempo o entendeu.
Mas ele, esperantista,
esperava as cartas da Holanda,
as vacas gordas de José,
e o fim da Torre de Babel.
Meu pai, cidadão do mundo,
pobre professor de Esperanto
à beira do Paraibuna.

Lia, lia, lia. Havia sempre
um livro em sua mão.
E chegavam missivas
e selos fraternais
– *mia caro samiedano* –
Polônia, China,
Bélgica e Japão.

Maçom, grau 33,
letra caprichosa,
bordava atas da confraria,
falava-nos de bodes e caveiras,
liturgias impenetráveis
e um dia trouxe-nos a espada
que entre os maçons usava.

Aos domingos, à mesa
refastelava-se de Salmos:
lia os mais compridos
ante a fria macarronada,
mas sua flauta domingueira
apascentava meu desejo
de pecar lá no quintal
e arrebanhava as dívidas
despertas na segunda-feira.

Esteve em três revoluções.
Não sei se dava tiros
e medalhas nunca foi buscar.
Capitão de milícias
aposentado por desacato ao superior
discutia política sem muito empenho.
Votava com os pobres: PTB-PSD.
Tio Ernesto era udenista
e cobrava-lhe rigor.

Levou-me a ver Getúlio
num desfile militar.
No bolso, uma carta
expondo ao Presidente
penosa situação:

injustiças militares,
necessidade de abono
e pedia uma pasta de livros
pro meu irmão.

Isto posto, era capaz de esperar
semanas e meses
sem desconfiar, que ao chorar
ouvindo novelas
da Rádio Nacional
era ele próprio personagem,
porque se, como diz García Márquez,
ninguém escreve ao coronel,
o ditador jamais escreveria ao capitão.

Noivo contrariado,
fugiu com minha mãe
e com ela trocou cartas, que vi,
escritas com o próprio sangue.
Brigou com um carroceiro
que chicoteava uma besta
diante de nossa porta.
E quando a tarde crepusculava,
tomava a filha paralítica no colo
passeando seu calvário pelas ruas
do interior.

Certa vez, como os irmãos
pusessem em mim trinta apelidos
querendo me degradar
chamando-me de "guga"
"tora", "manduca" e "júpiter",
certa noite, notando-me a tristeza

levou-me pro quintal
entre couves e chuchus:
mostrou-me Júpiter, a enorme estrela
e outras constelações: peixes
touros, centauros, ursas maiores e menores
tudo a brilhar em mim
estrelas que com ele eu distinguia
e desde aquela noite
nunca mais pude encontrar.

# VESTÍGIOS
## (2005)

# AINDA HÁ TEMPO?

Ainda há tempo
para o último drinque
à beira do vulcão
ou então
para abrir
o que estava oculto
no sótão ou no porão
por isto é o momento
de descerrar
o indiscernível
sim do não.

Ainda há tempo
de aceitar
a pequenez
e explicar a omissão
ainda há tempo
para a carta não escrita
o telefonema tardio
o pedido de desculpa
na garganta enrustido
e um afago de mão.

Ainda há tempo
para entender
o silêncio acre
de Beckett
a ironia espessa
de Ionesco
e de Kafka
a sombria alegoria.

Ainda há tempo
de nos quadros
de Hopper
encarar a solidão
ainda há tempo
de contemplar
os impávidos
cavalos rosas
de Paolo Ucello
na Batalha
de Sao Romão.

Ainda há tempo
para ouvir
um poema de Li-Po
e três versos
de Bashô.
ainda há tempo
para lembrar Ronsard
Withman e Drummond.

Ainda há tempo
antes que derretam
a calota polar

antes que se perverta
o DNA
antes que envenenem
os rios e
o que sobrou do mar.

A escuridão
pode esperar
ou dissipar-se
quando o dia
teimosamente
amanhecer
com o oboé de Mozart
ou com a área
na corda de Sol
de Bach.

Ainda há tempo
(gostava de pensar).

Se tempo há, receio,
é para tomar o trem
o navio o avião
ou então
ainda há tempo
para voltar do aeroporto
ou da estação
pegar o rifle
e enfrentar
a enfurecida multidão
ou simplesmente
entregar-lhe o ouro
e esperar
a hora da execução.

# BALADA DAS MOÇAS DA MINHA RUA

Como se preparavam
para o possível amor
as moças da minha rua.

Após o perfumado banho
com a alma nua, punham-se
na janela ou no portão,
ostensivas, aguardando
o que o sortilégio da noite
pudesse lhes doar.

As pequenas, que adolesciam,
teresinhas, sílvias, clarices,
lúcias, estelas, helenas,
no despontar dos seios
a sonhar já se dispunham.
Mas a noite premiava
apenas as mais velhas
na idade de namorar:

Dolores de tornozelos fortes
beijando enlouquecida
no portão a gargalhar.

A carioca, brincos faiscantes
cabelos soltos, potranca enlaçada
pelo namorado que tocava
suas ondulantes formas ao luar.

Zezé quadris largos, portentosa
beijando o noivo no jardim
(nós no meio do arbusto ocultos)
vegetando formas de amar.

Geny ofertos seios na janela
a interminável cabeleira a pentear,
e, de repente, surgindo grávida.
(Quem foi? Não foi. Inveja. Azar).

A vizinha casada saindo airosa
(todos sabiam) e voltando
desfeita de tanto dar.

As demais casadas não tinham sexo.
Consagravam-se à feira e a bordar,
orgulhavam-se da casa limpa,
punham cadeiras na calçada
e conversavam conversas
que só as desamadas
sabem conversar.

# DAMA DA NOITE

Tenho que chegar em casa logo que anoiteça
quando
a dama da noite me abre seu perfume.

Que o trânsito as notícias de assalto e guerra
          a subida do dólar o pedinte na esquina
não me retenham.

Venho já pelos jardins da vizinhança
entre duros edifícios
pressentindo o que me aguarda.

Preciso chegar em casa. Ali
a dama da noite me recebe entreaberta
e em seu perfume atravesso a madrugada.

# O HOMEM E SUA SOMBRA

Era um homem com sombra de cachorro
que sonhava ter sombra de cavalo
mas era um homem com sombra de cachorro
e isto de algum modo o incomodava.

Por isto aprisionou-a num canil
e altas horas da noite
enquanto a sombra lhe ladrava
sua alma em pelo galopava.

# INVOLUÇÃO DAS ESPÉCIES

Homens são animais dotados de espinha dorsal
feita para sustentar toda sua estrutura
– diz-me esse compêndio.

Mas pode-se quebrá-la
                    moldá-la
fazê-la involuir ou mesmo desaparecer
como é o caso dos répteis e moluscos.

Estes não têm espinha dorsal
embora finjam ter essa postura
nos governos escritórios e coquetéis.

# MINHA MULHER E AS FILHAS

Minha mulher e as filhas
retiram-se para o quarto
instalam-se entre baús
joias e tecidos e vão
com seus gestos e risos
manipulando os panos
e brilhos do passado
com alarido familiar.

Que intimidade ancestral
têm as mulheres
não apenas com legumes
lençóis talheres
e comprimidos.
Que baús trazem no útero
que universos perdidos
que pérolas nos olhos
que pencas de suspiros
como se os mínimos objetos
fossem também seus filhos.

Elas são tecelãs
do invisível. Conseguem
bordar sentido reafirmar
genealogias e podem até
resgatar a urdidura
do abismo

Terminado o ritual tribal familiar
os tecidos joias e lembranças
voltam submissos
ao baú de origem
e ali ficam em repouso contidos
até que noutro instante
olhos ávidos risos claros
mãos fecundas os despertem
e voltem à vida
num doméstico alarido
de falas e sorrisos.

# NECROLÓGIO SEVERINO

O poeta João Cabral de Melo Neto
áspera pedra nordestina
severíssimo cultor da forma
ateu
abominava derramentos líricos e sentimentais.

Não obstante isto, era acadêmico.
Não obstante isto, era diplomata.
Não obstante isto, morreu rezando
e seu corpo
foi velado no Salão dos Poetas Românticos.

# ULISSES, O RETORNO

Como voltar
depois de Itaca
das sereias
dos cíclopes
de tanto assombro
de tanto sangue
na espada?

Como voltar
se aquele que partiu
partiu-se
e voltará com os fragmentos
do excesso?

Não há retorno.
Há outra viagem
diariamente urdida
dentro da viagem
antiga.

Embora o caminho
da volta
seja percorrido
ninguém retorna
apenas volta a viajar
no espaço anterior

estranhamente
familiar.

Como se o regresso
fosse acréscimo
e o viajante descobrisse
que é atrás
que está a fonte
e na alvorada
o horizonte
não há retorno.
Há o contorno
do próprio eixo
o tempestuoso
périplo do ego
um diálogo de ecos
como quem
tenta encaixar
diferentes rostos
no mesmo espelho.

Por isto, o retorno
inelutável
é perigoso
exige mais perícia
que na partida
mais destreza
que nos conflitos
pois o risco
é naufragar
exatamente
quando chegar
ao porto.

# BIBLIOGRAFIA (ABREVIADA)

## Poesia no Brasil

*Canto e palavra*. Belo Horizonte: Imprensa Oficial, 1965.
*Poesia sobre poesia*. Rio de Janeiro: Imago, 1975.
*A grande fala do índio guarani*. São Paulo: Summus, 1978.
*A catedral de Colônia*. Rio de Janeiro: Rocco, 1987.
*A poesia possível* (poesia reunida). Rio de Janeiro: Rocco, 1987.
*A morte da baleia*. Rio de Janeiro: Berlendis & Vertecchia, 1990.
*Que país é este?* Rio de Janeiro: Rocco, 1990.
*O lado esquerdo do meu peito*. Rio de Janeiro: Rocco, 1992.
*Melhores poemas de Affonso Romano de Sant'Anna* (antologia). São Paulo: Global, 1993.
*Epitáfio para o século XX* (antologia). São Paulo: Ediouro, 1997.
*A grande fala e Catedral de Colônia* (ed. comemorativa). Rio de Janeiro: Rocco, 1998.
*O intervalo amoroso* (antologia). Porto Alegre: L&PM, 1999.
*Textamentos*. Rio de Janeiro: Rocco, 1999.
*Poesia reunida*. Porto Alegre: L&PM, 2004.
*Vestígios*. Rio de Janeiro: Rocco, 2005.
*O homem e sua sombra*. Porto Alegre: Alegoria, 2006.

## Poesia e antologias no exterior

*Antologia da poesia brasileira* (org. José Valle Figueiredo). Lisboa: Verbo, 1970.

*Antologia de la poesia latinoamericana (1950-1970)* (org. Stefan Baciu). New York: State University, 1974.

Littérature du Brèsil. *Revue Europe*, Paris, août-sept. 1982.

*Okolice (miessiecznik spoleczno-literaracki).* Polônia: Marzec, 1982.

*Beispilsweise Koln-Ein Lesebuch.* (Herausgegeben von H. Grohler, G. E. Hoffman e H. J. Tummers). Göttingen: Lamuv Verlag, 1984.

*Translations*: the journal of literary translation. Spring: Columbia University, 1984.

*A posse da terra – escritor brasileiro hoje* (org. Cremilda Medina). Lisboa: Imprensa Nacional/Casa da Moeda/Secretaria do Estado da Cultura de São Paulo, 1985.

*Lianu Liepesna – Brazily naujosios poezijos antologija* (antologia brasileira em lituano – org. Povilas Gaucys). Chicago, 1985.

*South Easter Latin americanist.* Miami: Miami University, sept.-dec. 1985.

*Antologia da poesia brasileira* (org. Carlos Nejar). Lisboa: Imprensa Nacional/Casa da Moeda, 1986.

*Latin American Literature Review. Brazilian Literature. Special Issue.* University of Pittsburg, jan.-jun. 1986.

*Anthologie de la nouvelle poèsie brèsilienne* (org. Serge Borjea). Paris: L'Harmattan, 1988.

*Antologia da poesia brasileira.* Pequim: Embaixada do Brasil, 1994.

*Epitafio para el siglo XX.* Caracas: Fundarte, 1994.

*Liberté/Brasil littéraire*. Montreal, 1994.

Das Gediche (Zeitschrife fur Lyric, Essay und Kritik). *AGHL*, Alemanha, n. 3, oct. 1995.

*Review: Latin American Literature and Art*. America Society, New York, Fall 1996.

*Rowohlr Literatur Magazin*. New lateiramerikanishce poesia/ *Nueva Poesía de América Latina*. Hamburg, n. 38, 1996.

*Tierra de nadie (antologia de nueve poetas latinoamericanos)*. Heredia: Ed. Una, 1996.

*Visión de la poesía brasileña* (org. Thiago de Mello). Santiago: Instituto Libro, 1996.

*Poeti brasiliani contemporani* (org. Silvio Castro). Venezia: Centro Internazionale della Grafica di Venezia/ Università degli Studi di Padova, 1997.

*Affonso Romano de Sant'Anna & Carlos Nejar:* deux poètes brésiliens contemporains (org. Regina Machado). Paris: La Sape/ Centre National de Lettres, 2000.

*Poesia brasileira do século XX:* dos modernistas à actualidade (org. José Henrique Bastos). Lisboa: Antígona, 2002.

*Poets of Brazil:* a bilingual selection (trad. e intr. Frederick G. Williams). New York: Luso-Brazilian Books/ Provo: Brigham Young University Studies/ Salvador: Editora da UFBA, 2004.

*A man and his shadow* (poems – trad. Fred Ellison). Austin: Host, 2008.

*Antologia da poesia contemporânea brasileira* (org. Álvaro A. Faria). Coimbra: Alma Azul, 2009.

*Divina música:* antologia de poesia sobre música (org. Amadeu Baptista). Viseu: Proviseu, 2009.

*Os dias do amor:* um poema para cada ano (antologia). Lisboa: Ministério do Livro, 2009.

**Antologias de poesia no Brasil**

*4 poetas.* Belo Horizonte: Editora Universitária, 1960.
*Violão de rua I.* Rio de Janeiro: Civilização Brasileira, 1962.
*Violão de rua II.* Rio de Janeiro: Civilização Brasileira, 1963.
*Violão de rua III.* Rio de Janeiro: Civilização Brasileira, 1963.
*Poesia da fase moderna* (org. Manuel Bandeira e Walmir Ayala). São Paulo: Ediouro, 1967.
*Poesia viva* (org. Moacyr Felix). Rio de Janeiro: Civilização Brasileira, 1968.
*Carne viva* (org. Olga Savary). Rio de Janeiro: Anima, 1984.
*Poesia contemporânea* (org. Henrique Alves). São Paulo: Roswitha Kempf, 1985.
*O imaginário a dois* (com Marina Colasanti). Rio de Janeiro: Artetexto, 1987.
*Sincretismo*: a poesia da Geração 60 (org. Pedro Lyra). Rio de Janeiro: Topbooks, 1995.
*Poesia contemporânea*: cadernos de poesia brasileira. São Paulo: Instituto Itaú Cultural, 1997.
*Baú de letras* (antologia poética de Juiz de Fora). Juiz de Fora: Funalfa, 2000.
*100 anos de poesia*: um panorama da poesia brasileira no século XX (org. Claufe Rodrigues e Alexandra Maia). Rio de Janeiro: O Verso, 2001.
*Os cem melhores poetas brasileiros do século* (org. José Nêumanne Pinto). São Paulo: Geração Editorial, 2001.

**Ensaios**

*O desemprego do poeta.* Belo Horizonte: Imprensa Universitária da UFMG, 1962.

*Por um novo conceito de literatura brasileira*. Rio de Janeiro: Eldorado, 1977.

*O que aprendemos até agora?* São Luís-MA: Edufitia, 1984/ Florianópolis: Editora Universidade Santa Catarina, 1994.

*Política e paixão*. Rio de Janeiro: Rocco, 1984 (2 edições).

*Como se faz literatura*. Petrópolis: Vozes, 1985 (2 edições).

*Paródia, paráfrase & cia*. São Paulo: Ática, 1985 (dezenas de edições).

*Análise estrutural de romances brasileiros*. São Paulo: Ática, 1989 (8 edições).

*Drummond, o "gauche" no tempo*. Rio de Janeiro: Record, 1990 (5 edições).

*O canibalismo amoroso*. Rio de Janeiro: Rocco, 1990 (3 edições).

*Agosto, 1991*: estávamos em Moscou (com Marina Colasanti). São Paulo: Melhoramentos, 1991.

*Emeric Marcier*. Rio de Janeiro: Pinakoteke, 1993.

*Barroco, alma do Brasil*. Rio de Janeiro: Comunicação Máxima/ Bradesco, 1997 (2 edições; reeditado em inglês, francês e espanhol em 1998).

*Música popular e moderna poesia brasileira*. Petrópolis: Vozes, 1997 (4 edições).

*A sedução da palavra* (ensaio e crônicas). Brasília: Letraviva, 2000.

*Barroco, do quadrado à elipse*. Rio de Janeiro: Rocco, 2000.

*Desconstruir Duchamp*. Rio de Janeiro: Vieira & Lent, 2003.

*Que fazer de Ezra Pound*. Rio de Janeiro: Imago, 2003.

*A cegueira e o saber*. Rio de Janeiro: Rocco, 2006.

*O enigma vazio*. Rio de Janeiro: Rocco, 2008.

## Crônicas

*A mulher madura*. Rio de Janeiro: Rocco, 1986 (3 edições).
*O homem que conheceu o amor*. Rio de Janeiro: Rocco, 1988 (2 edições).
*A raiz quadrada do absurdo*. Rio de Janeiro: Rocco, 1989.
*Porta de colégio*. São Paulo: Ática, 1990.
*De que ri a Mona Lisa?* Rio de Janeiro: Rocco, 1991.
*Fizemos bem em resistir* (antologia). Rio de Janeiro: Rocco, 1994.
*Mistérios gozosos*. Rio de Janeiro: Rocco, 1994.
*A vida por viver*. Rio de Janeiro: Rocco, 1997.
*Que presente te dar* (antologia). Rio de Janeiro: Expressão e Cultura, 2001.
*Nós, os que matamos Tim Lopes* (antologia). Rio de Janeiro: Expressão e Cultura, 2002.
*Pequenas seduções* (antologia). Porto Alegre: Sulina, 2002.
*Melhores crônicas de Affonso Romano de Sant'Anna*. São Paulo: Global, 2004.
*Tempo de delicadeza*. Porto Alegre: L&PM, 2007.
*Perdidos na Toscana*. Porto Alegre: L&PM, 2009.

## Prosa/ensaios com outros autores

*O livro do seminário* (1ª Bienal Nestlé de Literatura). São Paulo: Nestlé, 1982.
*Crônicas mineiras*. São Paulo: Ática, 1984.
*A paixão segundo G. H. – Clarice Lispector* (textos críticos). Co. Arquivos, Unesco, 1988.
*Tv ao vivo*. São Paulo: Brasiliense, 1988.
*Homenagem a Manuel Bandeira*. Rio de Janeiro: UFF/ Presença, 1989.

*Palavra de poeta* (org. Denira do Rosário). Rio de Janeiro: José Olympio, 1989.

*Drummond (arte em exposição)*. Rio de Janeiro: Salamandra, 1990.

*Hélio Pellegrino. A-deus*. Petrópolis: Vozes, 1990.

*Autorretratos* (org. Giovani Ricciardi). São Paulo: Martins Fontes, 1991.

*Minas liberdade*. Belo Horizonte: Secretaria do Estado da Cultura de Minas Gerais, 1992.

Prefácio a *O amor natural* (Carlos Drummond de Andrade). Rio de Janeiro: Record, 1992.

*Tiradentes, teu nome é liberdade*. Rio de Janeiro: Máxima Comunicação, 1992.

*Cartas de Mário de Andrade*. Rio de Janeiro: Nova Fronteira, 1993.

*131 posições sexuais*: o sexo visto pro 131 personalidades (org. Lu Lacerda). Rio de Janeiro: Best Seller, 1994.

*O livro ao vivo*. Rio de Janeiro: Centro Cultural Cândido Mendes, 1995.

*Crônicas de amor*. São Paulo: Ceres, [s./d.].

*Brasil e Portugal*: 500 anos de enlaces e desenlaces (org. Gilda Santos). Rio de Janeiro: Real Gabinete de Leitura, 2000.

*Para entender o Brasil* (org. Marisa Sobral Luiz Antonio Aguiar). São Paulo: Alegro, 2000.

*Ao encontro da palavra cantada – canto e palavra* (org. Claudia Neiva de Matos). Rio de Janeiro: 7Letras, 2001.

*Brasil e Portugal*: 500 anos de enlaces e desenlaces. Rio de Janeiro: Real Gabinete de Leitura, 2001. v. 2.

Crônicas de uma viagem a Portugal. In: *Pontes Lusófonas III – Arquitecturas Luso-Brasileiras*. Lisboa: Instituto Camões, 2001.

Dona Flor e o triângulo culinário e amoroso. In: *Personae: grandes personagens da literatura brasileira* (org. Lourenço Dantas Mota e Benjamim Abdala Jr.). São Paulo: Ed. Senac, 2001.

O valeroso lucideno: um caso de arqueologia literária. In: *Mestre da crítica* (ed. comemorativa dos 80 anos do crítico literário Wílson Martins). Curitiba: Imp. Oficial do Paraná / Rio de Janeiro: Topbooks, 2001.

*Pecados – Orgulho* (org. Eliana Yunes e Maria Clara Bingerer). Rio de Janeiro: Loyola, 2001.

Seminário de Comunicação do Banco do Brasil: espaços na mídia – história, cultura e esporte (org. Alberto Dines). *Suplementos literários*: situação ontem e hoje, Labjor (Laboratório de Estudos Avançados em Jornalismo), Unicamp, Brasília, 2001.

Wílson Martins: um crítico na linha de fogo. In: *Mestre da crítica* (ed. comemorativa dos 80 anos do crítico literário Wílson Martins). Curitiba: Imp. Oficial do Paraná / Rio de Janeiro: Topbooks, 2001.

*Ler o mundo:* desafios na sociedade tecnológica (conferência no Simpósio de Estudos Linguísticos e Literários da Unicentro, Garapuava-SP), 2005.

Se eu começasse dizendo (prefácio a *Poesias completas de T. S Eliot*). Rio de Janeiro: Nova Fronteira, 2005.

O umbigo, o centramento e descenetramento. In: *Umbigo é nosso rei?* (org. Marco Antonio Boa Nova Valério). Porto Alegre: Artes e Ofícios, 2005.

O caso Quintana. In: *Mario Quintana*: o anjo da escada. Porto Alegre: Telos Emprendimentos Culturais, 2006.

Edmundo simplesmente criativo. Para o livro sobre Edmundo Villani-Côrtes, projeto de Francisco Coelho, sobre compositores contemporâneos brasileiros (Gilberto Mendes, Almeida Prado, Edino Krieger, Rodolfo Coelho de Souza, Edmundo Villani-Côrtes).

Cannibalisme littéraire (ensaio para o número especial sobre Valery da revista *Université Montpellier*, mar. 2006; e adaptado na revista *O Escritor* da União Brasileira de Escritores).

Um homem perplexo (introdução a *Hollywood: a meca do cinema*, org. Blaise Cendrars). Rio de Janeiro: José Olympio, 2009.

## Poesia/ensaios com outros autores no exterior

*Les risques du métier.* Quebec/ Montreal: L'Hexagone, 1990.

*Confluences littéraires (Bresil-Quebec)*: les bases d'une compairaison. Montreal: Les Editions Balzac, 1992.

*Tropical paths*: essay on modern brazilian literature (org. Randal Jonhson). New York/ London: Garland, 1993.

*Cuentos brasileños.* Chile: Andres Bello, 1994.

Libraries, social inequalities and the challenge of the twenty first century. *Dedadus* (journal of the American Academy of Arts and Sciences), Fall 1996.

*O Brasil no limitar do século XXI.* Frankfurt am Main: TFM, 1996.

*Brésil, poèsie du corps* (org. M. Leroy-Patay e M. E. Malheiros Poulet). Lyon: La Taillanderie, 2000.

Lusofonia, mentiras e realidade. *Veredas* (revista da Associação Internacional de Lusitanistas), Fundação Eng. Antonio de Almeida, Porto, 2000.

Origens poéticas (int. e seleção da antologia de Humberto Ak'abal, *Tecedor de palavras*). São Paulo: Melhoramentos, 2006.

## CDs de Literatura

*Affonso Romano de Sant'Anna por Tônia Carrero.* Niterói: Luzdacidade, 1998.

*Crônicas escolhidas* (com participação de Paulo Autran). Niterói: Luzdacidade, 1999.
*O escritor por ele mesmo*. São Paulo: Instituto Moreira Salles, 2001.
*Affonso Romano de Sant'Anna por Affonso Romano de Sant'Anna* (com participação de Tônia Carreiro, Odete Lara, Marina Colasanti, Neide Archanjo, Eliza Lucinda, Edla van Steen, Alessandra Colasanti). Niterói: Luzdacidade, 2005.

**Prêmios literários**

Prêmio Mário de Andrade: *Drummond, o "gauche" no tempo*.
Prêmio Fundação Cultural do Distrito Federal: *Drummond, o "gauche" no tempo*.
Prêmio União Brasileira de Escritores: *Drummond, o "gauche" no tempo*.
Prêmio Estado da Guanabara: *Drummond, o "gauche" no tempo*.
Prêmio Pen-Clube: *O canibalismo amoroso*.
Prêmio União Brasileira de Escritores: *Mistérios gozosos*.
Prêmio APCA (Associação Paulista de Críticos de Arte): conjunto da obra.

**Dissertações e Teses sobre o autor**

*Simbólica de alta tensão*: uma leitura da poesia de Affonso Romano de Sant'Anna (Vera Lucia Roca de Sousa Lima). Rio de Janeiro: PUC, 1986.
*A ars de ARS*: edição do desejo na obra crítica e poética de Affonso Romano de Sant'Anna (Flávia Sá d'Oliveira) Rio de Janeiro: PUC, 2000.

*Affonso Romano de Sant'Anna*: estudo da poesia em quatro movimentos (Sonia Breitenwieser Alves dos Santos Castino). USP, 2006.

*Paratexto e poesia*: a descida de ARS aos infernos da modernidade (Rodney Caetano). Curitiba: UFPR, 2007.

*Poesia em tempo de guerra* (Maysa de Castro). Araraquara: Universidade de Araraquara.

## Poemas Musicados

"Assombros" (musicado por Felipe Radiceti). In: *Homens partidos*. Rio de Janeiro, 1999.

"Alfa e omega" (musicado por Rildo Hora). In: *Ano Novo* (com Rildo Hora e Maria Teresa Madeira). Rio de Janeiro: Rob Digital, 2003.

"A implosão da mentira" (musicado por Rildo Hora). In: *Ano Novo* (com Rildo Hora e Maria Teresa Madeira). Rio de Janeiro: Rob Digital, 2003.

"A implosão da mentira" (musicado por Remy Loeffler Ramos Portilho).

"Os amantes" (musicado por Fagner).

"Que país é este?" (musicado por Rocinontes).

"A morte da baleia" (musicado por César Barreto/ Grupo Nordestinados). 1983.

"Cilada verbal" (musicado por Sabrina Lastman). In: *Two folds of the Soul/ Los despliegues del alma*.

"Cordel da mué gaieira e do seu cabra machão".

"Dorme, Presidente" (musicado por Paulo Diniz). 1985.

## Poesia e pintura

*O homem e sua sombra* (exposição de quadros de Carlos Pragana inspirados em *O homem e sua sombra*, Museu de Arte de Pernambuco).

# BIOGRAFIA

Affonso Romano de Sant'Anna é um caso raro de artista e intelectual que une a palavra à ação. Com uma produção diversificada e consistente, pensa o Brasil e a cultura de seu tempo e se destaca como teórico, poeta, cronista, professor, administrador cultural e jornalista. Com mais de quarenta livros publicados, professor em diversas universidades brasileiras – Universidade Federal de Minas Gerais (UFMG), Pontifícia Universidade Católica (PUC-RJ), Universidade Federal do Rio de Janeiro (UFRJ) e Universidade Federal Fluminense (UFF) –, lecionou também nas universidades da Califórnia (UCLA, Estados Unidos), de Colônia (Alemanha) e Aix-en-Provence (França). Seu talento foi confirmado pelo estímulo recebido de várias fundações internacionais, como a Ford Foundation, Guggenheim, Calouste Gulbenkian e o DAAD, da Alemanha, que lhe concederam bolsas de estudo e pesquisa em diversos países.

Nascido em Belo Horizonte (1937), desde os anos 1960 teve participação ativa nos movimentos que transformaram a poesia brasileira, interagindo com os grupos de vanguarda e construindo sua própria linguagem e trajetória. Data dessa época sua participação nos movimentos políticos e sociais que marcaram o Brasil. Embora jovem, seu nome já aparece nas principais publicações culturais do país. Por isso, como poeta e cronista, foi considerado, em 1990, pela revista *Imprensa* um dos dez jornalistas de maior influência do país.

Nos anos 1970, dirigindo o departamento de Letras e Artes da PUC-RJ, estruturou a pós-graduação em Literatura Brasileira, considerada uma das melhores do país. Trouxe ao Brasil conferencistas estrangeiros, como Michel Foucault, e, apesar das dificuldades impostas pela ditadura, realizou uma série de encontros nacionais de professores, escritores e críticos literários, além de promover a *Expoesia*, evento que reuniu seiscentos poetas num balanço da poesia brasileira.

Durante sua gestão na PUC-RJ, pela primeira vez no país, a chamada literatura infantojuvenil passou a ser estudada em universidade e a ser tema de teses de pós-graduação. Foram também abertos cursos de Criação Literária com a presença de importantes escritores nacionais.

Foi autor, nessa universidade, de trabalhos pioneiros sobre música popular, como o livro *Música popular e moderna poesia brasileira*.

Como jornalista, trabalhou nos principais jornais e revistas do país: *Jornal do Brasil* (pesquisa e copidesque), *Senhor* (colaborador), *Veja* (crítico), *IstoÉ* (cronista), *O Estado de S. Paulo* (colaborador). Foi cronista da *Manchete*, do *Jornal do Brasil* e d'*O Globo*; atualmente, suas crônicas são publicadas no *Estado de Minas* e no *Correio Braziliense*.

Considerado pelo crítico Wílson Martins o sucessor de Carlos Drummond de Andrade no desenvolvimento de uma "linhagem poética" que vem de Gonçalves Dias, Olavo Bilac, Manuel Bandeira e Drummond, substituiu este último como cronista no *Jornal do Brasil*, em 1984. E foi sobre esse escritor sua tese de doutoramento (UFMG), *Drummond, o "gauche" no tempo*, que mereceu quatro prêmios nacionais.

Nos duros tempos da ditadura militar, Affonso Romano de Sant'Anna publicou corajosos poemas nos principais jornais do país, não nos suplementos literários, mas nas páginas de política. Poemas como "Que país é este?" (vertido para o para espanhol, o inglês, o francês e o alemão) foram transformados em pôsteres, colocados aos milhares em escritórios, sindicatos, universidades e bares. Nessa época produziu uma série de poemas para a televisão (Globo), que eram transmitidos em horário nobre, no noticiário noturno, e atingiam uma audiência de 60 milhões de pessoas.

Como presidente da Fundação Biblioteca Nacional – a oitava biblioteca do mundo, com 8 milhões de volumes –, foi o responsável, entre 1990 e 1996, pela modernização tecnológica da instituição, informatizando-a, ampliando seus edifícios e lançando programas de alcance nacional e internacional.

Criou o Sistema Nacional de Bibliotecas, que reúne 3 mil instituições, e o Proler (Programa Nacional de Incentivo à Leitura), que contou com mais de 30 mil voluntários e estabeleceu-se em trezentos municípios. Em 1991, lançou o programa "Uma biblioteca em cada município". Criou ainda os programas de tradução de autores brasileiros, bolsa para escritores jovens e encontros internacionais com agentes literários.

Seu trabalho à frente da Biblioteca Nacional permitiu que o Brasil fosse o país-tema da Feira de Frankfurt (1994), da Feira de Bogotá (1995) e do Salão do Livro de Paris (1998).

Lançou a revista *Poesia Sempre*, de circulação internacional, tendo organizado números especiais sobre a América Latina, Portugal, Espanha, Itália, França e Alemanha.

Foi secretário-geral da Associação para o Desenvolvimento das Bibliotecas Nacionais da Ibero-América

(1995-1996), que reúne 22 instituições em amplo programa de integração cultural no continente.

Foi Presidente do Conselho do Centro Regional para o Fomento do Livro na América Latina e no Caribe (Cerlalc, 1993-1995).

Como poeta, participou do International Writing Program (1968-1969) em Iowa, Estados Unidos, dedicado a jovens escritores de todo o mundo. Tem participado de dezenas de encontros internacionais de poesia. Esteve no Festival Internacional de Poesia pela Paz, na Coreia (2005), fez uma série de leituras de poemas no Chile, por ocasião do centenário de Pablo Neruda (2004), esteve na Irlanda, no Festival Gerald Hopkins (1996), na Casa de Bertolt Brecht, em Berlim (1994), no Encontro de Poetas de Língua Latina (1987), no México e no Encontro de Escritores Latino-Americanos em Israel (1986).

Mereceu vários prêmios nacionais, destacando-se o da Associação Paulista de Críticos de Arte pelo conjunto da obra.

Foi membro do júri de uma série de prêmios internacionais, como Prêmio Camões (Portugal/Brasil), Prêmio Rainha Sofia (Espanha), Prêmio Pérez Bonald (Venezuela) e Prêmio Pégaso/ Mobil Oil (Colômbia/ Estados Unidos).

Sendo, no Brasil, um dos principais teóricos da "teoria da carnavalização", assunto sobre o qual orientou várias teses, e definindo-se como um analista da cultura, nos últimos anos publicou um inovador estudo, *Barroco, do quadrado à elipse*, analisando o Barroco de ontem e hoje sob uma ótica totalmente inovadora.

Atento à necessidade de revisão constante da cultura, lançou, em *Desconstruir Duchamp*, uma análise interdisciplinar da pós-modernidade a que deu continuidade com *Que fazer de Ezra Pound, A cegueira e o saber* e *O enigma vazio*.

Diversos textos seus foram transformados em teatro, balé e música ou gravados em CDs de literatura, por sua própria voz e de atores diversos.

Sua obra tem sido objeto de teses de mestrado e doutorado no Brasil e no exterior.

Recebeu algumas das principais comendas brasileiras, como Ordem de Rio Branco, Medalha Tiradentes, Medalha da Inconfidência, Medalha Santos Dummont etc.

É casado com a escritora Marina Colasanti.

Mais informações no site/blog: www.affonsoromano.com.br.

# ÍNDICE

Prefácio de Miguel Sanches Neto .................7

## *CANTO E PALAVRA (1965)*

Canto e palavra ..................37
O homem e o objeto ..................41
Definição ..................44
A pesca ..................48
Poemas para a amiga ..................50
Poema para Garrincha ..................60
Poema para Marilyn Monroe ..................63

## *POESIA SOBRE POESIA (1975)*

O homem e a letra ..................68
Sou um dos 999.999 poeta do país ..................77
Teorreias ..................82
Four letters words ..................84
Soneto com forma ..................86
Soneto com fundo ..................87
Soneto com forma e fundo ..................88
Soneto da rosa ..................89

[Depois de ter experimentado todas as
formas poéticas] ......90
Poema conceitual: teoria e prática ......92
Poema del Mio Che ......95
Colocação de bombas e pronomes ......98

## A GRANDE FALA DO ÍNDIO GUARANI (1978)

Poema 1 ......103
Poema 3 ......107
Poema 10 ......111
Poema 15 ......116

## QUE PAIS É ESTE? (1980)

24 de agosto de 1954 ......123
Rainer Maria Rilke e eu ......126
Que país é este? ......128
Índios meninos ......142
A morte da baleia ......146
Mulher ......159
Amor: verso, reverso, converso ......166
Limitações do flerte ......171
O anúncio e o amor ......174
As cartas de Mário de Andrade ......177

## POLÍTICA E PAIXÃO (1984)

A implosão da mentira ......185
Os desaparecidos ......190

## A CATEDRAL DE COLÔNIA (1985)

De quem riem os poderosos? ............197
Vai, ano velho ............199
O suicida ............201
Sobre certas dificuldades atuais ............203
O torturado e seu torturador ............205
Eppur si muove ............207
Polonaise em form de cruz ............210
Num hotel ............212
Bandeira, talvez ............214
Ironia canibal ............216
O homem e a morte ............217
O último tango nas Malvinas ............218
Homenagem ao itabirano ............224
O leitor e a poesia ............228
A catedral de Colônia ............229

## O LADO ESQUERDO DO MEU PEITO (1992)

Assombros ............239
Errando no Museu Picasso ............240
Pequenos assassinatos ............242
Conjugação ............244
Reflexivo ............245
Epitáfio para o século XX ............246
Escrita imprevisível ............250
Bandeira revisitado ............251
Aprendizado ............252

## TEXTAMENTOS (1999)

Além do entendimento......................................255
Novo Gênesis......................................256
In illo tempore......................................258
Velhice erótica......................................259
Mudam-se os tempos......................................260
A bela do avião......................................261
Esclerose amorosa......................................263
Morte do vizinho......................................264
Ristorante Etruria......................................265
Mais beleza, Senhor......................................266
O pai......................................267

## VESTÍGIOS (2005)

Ainda há tempo?......................................273
Balada das moças da minha rua......................................276
Dama da noite......................................278
O homem e sua sombra......................................279
Involução das espécies......................................280
Minha mulher e as filhas......................................281
Necrológio Severino......................................283
Ulisses, o retorno......................................284

Bibliografia (abreviada)......................................287

Biografia......................................299

# COLEÇÃO MELHORES POEMAS

*Castro Alves*
Seleção e prefácio de Lêdo Ivo

*Lêdo Ivo*
Seleção e prefácio de Sergio Alves Peixoto

*Ferreira Gullar*
Seleção e prefácio de Alfredo Bosi

*Mario Quintana*
Seleção e prefácio de Fausto Cunha

*Carlos Pena Filho*
Seleção e prefácio de Edilberto Coutinho

*Tomás Antônio Gonzaga*
Seleção e prefácio de Alexandre Eulalio

*Manuel Bandeira*
Seleção e prefácio de Francisco de Assis Barbosa

*Cecília Meireles*
Seleção e prefácio de Maria Fernanda

*Carlos Nejar*
Seleção e prefácio de Léo Gilson Ribeiro

*Luís de Camões*
Seleção e prefácio de Leodegário A. de Azevedo Filho

*Gregório de Matos*
Seleção e prefácio de Darcy Damasceno

*Álvares de Azevedo*
Seleção e prefácio de Antonio Candido

*Mário Faustino*
Seleção e prefácio de Benedito Nunes

*Alphonsus de Guimaraens*
Seleção e prefácio de Alphonsus de Guimaraens Filho

*Olavo Bilac*
Seleção e prefácio de Marisa Lajolo

*João Cabral de Melo Neto*
Seleção e prefácio de Antonio Carlos Secchin

*Fernando Pessoa*
Seleção e prefácio de Teresa Rita Lopes

### Augusto dos Anjos
Seleção e prefácio de José Paulo Paes

### Bocage
Seleção e prefácio de Cleonice Berardinelli

### Mário de Andrade
Seleção e prefácio de Gilda de Mello e Souza

### Paulo Mendes Campos
Seleção e prefácio de Guilhermino Cesar

### Luís Delfino
Seleção e prefácio de Lauro Junkes

### Gonçalves Dias
Seleção e prefácio de José Carlos Garbuglio

### Haroldo de Campos
Seleção e prefácio de Inês Oseki-Dépré

### Gilberto Mendonça Teles
Seleção e prefácio de Luiz Busatto

### Guilherme de Almeida
Seleção e prefácio de Carlos Vogt

### Jorge de Lima
Seleção e prefácio de Gilberto Mendonça Teles

### Casimiro de Abreu
Seleção e prefácio de Rubem Braga

### Murilo Mendes
Seleção e prefácio de Luciana Stegagno Picchio

### Paulo Leminski
Seleção e prefácio de Fred Góes e Álvaro Marins

### Raimundo Correia
Seleção e prefácio de Telenia Hill

### Cruz e Sousa
Seleção e prefácio de Flávio Aguiar

### Dante Milano
Seleção e prefácio de Ivan Junqueira

### José Paulo Paes
Seleção e prefácio de Davi Arrigucci Jr.

### Cláudio Manuel da Costa
Seleção e prefácio de Francisco Iglésias

### Machado de Assis
Seleção e prefácio de Alexei Bueno

*Henriqueta Lisboa*
Seleção e prefácio de Fábio Lucas

*Augusto Meyer*
Seleção e prefácio de Tania Franco Carvalhal

*Ribeiro Couto*
Seleção e prefácio de José Almino

*Raul de Leoni*
Seleção e prefácio de Pedro Lyra

*Alvarenga Peixoto*
Seleção e prefácio de Antonio Arnoni Prado

*Cassiano Ricardo*
Seleção e prefácio de Luiza Franco Moreira

*Bueno de Rivera*
Seleção e prefácio de Affonso Romano de Sant'Anna

*Ivan Junqueira*
Seleção e prefácio de Ricardo Thomé

*Cora Coralina*
Seleção e prefácio de Darcy França Denófrio

*Antero de Quental*
Seleção e prefácio de Benjamin Abdalla Junior

*Nauro Machado*
Seleção e prefácio de Hildeberto Barbosa Filho

*Fagundes Varela*
Seleção e prefácio de Antonio Carlos Secchin

*Cesário Verde*
Seleção e prefácio de Leyla Perrone-Moisés

*Florbela Espanca*
Seleção e prefácio de Zina Bellodi

*Vicente de Carvalho*
Seleção e prefácio de Cláudio Murilo Leal

*Patativa do Assaré*
Seleção e prefácio de Cláudio Portella

*Alberto da Costa e Silva*
Seleção e prefácio de André Seffrin

*Alberto de Oliveira*
Seleção e prefácio de Sânzio de Azevedo

*Walmir Ayala*
Seleção e prefácio de Marco Lucchesi

*Alphonsus de Guimaraens Filho*
Seleção e prefácio de Afonso Henriques Neto

*Menotti del Picchia*
Seleção e prefácio de Rubens Eduardo Ferreira Frias

*Álvaro Alves de Faria*
Seleção e prefácio de Carlos Felipe Moisés

*Sousândrade*
Seleção e prefácio de Adriano Espínola

*Lindolf Bell*
Seleção e prefácio de Péricles Prade

*Thiago de Mello*
Seleção e prefácio de Marcos Frederico Krüger

*Affonso Romano de Sant'Anna*
Seleção e prefácio de Miguel Sanches Neto

*Arnaldo Antunes*
Seleção e prefácio de Noemi Jaffe

*Armando Freitas Filho*
Seleção e prefácio de Heloisa Buarque de Hollanda

*Mário de Sá-Carneiro*
Seleção e prefácio de Lucila Nogueira

*Luiz de Miranda*
Seleção e prefácio de Regina Zilbermann

*Almeida Garret\**
Seleção e prefácio de Izabel Leal

*Ruy Espinheira Filho\**
Seleção e prefácio de Sérgio Martagão

*\*PRELO*

**GRÁFICA PAYM**
Tel. (011) 4392-3344
paym@terra.com.br